文春文庫

スイカの丸かじり

東海林さだお

文藝春秋

スイカの丸かじり＊目次

スイカのフランス料理　10
フラメンコの夜　16
「おかず横丁」で買いだおれ　22
「おかず横丁」で買いだおれ　そのⅡ　28
郷愁のアベカワ餅　34
駅弁王？「峠の釜めし」　40
ガンバレ中華丼　46
海苔の一膳　52
目刺しの出世　58

望郷のニシンそば 64
地ビール元年 70
スーパーの恥ずかしもの 76
懐かしき味噌おにぎり 82
ステーキのくやしさ 88
レバーフライの真実 94
あんかけ蕎麦再発見 100
男も料理はするけれど 106
その人の流儀 112

その人の流儀　そのⅡ　119
魅惑のコリアン市場　125
最近居酒屋チェーン事情　131
徳利を振る人　137
寿司の新顔「パック寿司」　143
「いし辰丼」の迷い　149
ついでの味　155
逃げるワンタン　161
ギョーザバーガー出現す　167

魚の頭カレーを食す　173
スポーツバーにて　179
肉じゃがは正悟師か　185
大阪「自由軒」のカレー　191
平成のすいとん　197
ソース二度づけ厳禁の店　203
うな重と生ビールの午後　209
灼熱の鍋焼きうどん　215
解説　荒川　洋治　222

スイカの丸かじり

スイカのフランス料理

スイカにはわるいが、スイカはどうみてもお利口にはみえない。形にしたって、ただひたすら丸いだけで、工夫というものがどこにも感じられない。

パイナップルをごらんなさい。形にしろ、その表面にしろ、工夫のかぎりをこらしている。桃なんかも、ただ丸いだけじゃなんだからと考えて、一筋ミゾをつけてアクセントをつけている。このアクセントが効いて、桃はいかにも桃らしくなっている。

食べ方にしたって、スイカは工夫のしようがない。リンゴならジャムになったり、焼きリンゴになったり、パイナップルなら缶詰になったり、豚肉のつけ合わせとして肉といっしょに焼かれたりするが、スイカはどうか。情けないことに、スイカは切って中の果肉をそのままかじるだけ。

リンゴなら皮をむいてもらえるが、スイカは皮をむくか？

スイカは缶詰になるか？

焼きスイカってあるか？

「ほんとにもう図体ばかりでかくて、融通がきかなくて、ボーッとしてて、果物界、野菜界共同推薦のバカ代表」

と言われて久しい。

本人もそのことはよく知っていて、中央には出ていかず、千葉とか埼玉の畑の土の中にうずくまって赤くなっているのが痛々しい。

スイカはこのままでいいのか。このまま田舎に埋もれさせたままでいいのか。救済の道はないのか。そう考えた人がいるんですね。そう考えてですね、こともあろうに、「スイカにフランス料理への道を歩ませてみたらどうか」と考えてしまったんですね。

しかもですよ、「フランス料理のなにかのつけ合わせに」というんではなくて、いきなし「フランス料理フルコースへの道」を与えてしまったんです。

さあ、どうなるか。

どうやったらスイカがフランス料理になりうるのか。

銀座東武ホテルのフランス料理店「ロジェドール」の「スイカフルコース」(八千円)。

「オイ、だいじょうぶか」

と、思わずスイカの背中をたたきたくなるような〝銀座〟の〝一流ホテル〟の〝一流フランス料理店〟の〝フルコース〟なのだ。

どうやって「バカ代表」のスイカをフルコースにまで持っていくのか。

出てくる料理は全六品。

オードブルの前に、まず「すいかの生ハム添え」。

ここで驚いたことは、暗緑色の地肌に黒のギザギザ模様のついたスイカの一番表の皮、あそこだけは食べられないので捨てていたでしょ。あれ、食べられるんです。

あの一番表の皮を薄くはがして、裏側に生ハムを貼りつけてある。

塩と酢でピクルスにしてあるとかで、口に入れると、表面のツルツルは、口の中でもツルツルするが、噛みしめるとシャリシャリしておいしい。

次がオードブルで「すいかのロワイヤル」。スイカの果汁を煮つめて卵と合わせて蒸したもので、〝すいか汁の茶わん蒸し〟といった味わい。

三番目が「冷製すいかのクリームスープ」。スイカの果汁に生クリームとキルシュ酒を加え、スイカのシャーベットの周りに注いである。これは、まあ、スイカのジュースに何かしたな、というような味だ。

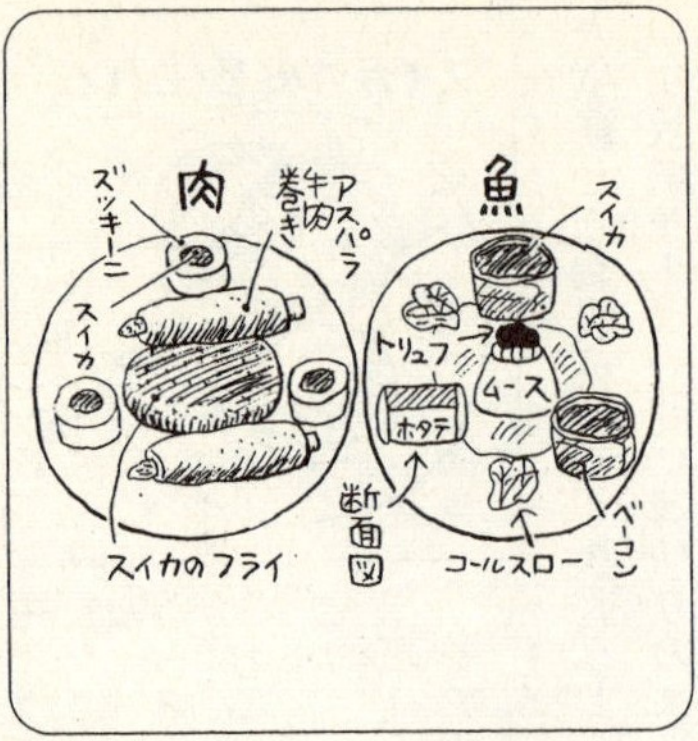

四番目が「すいかと帆立て貝のムース仕立て」。帆立て貝の上に同じ型に切ったスイカの果肉（約二センチ）をのせ、その周りをベーコンで巻いてバターでソテーしてある。

スイカ史上初めて、〝スイカが焼かれた〟のだ。スイカ自身も、まさか自分が火で焼かれるとは思っていなかったにちがいない。

スイカは冷やして食べるもの、と思って生きてきた当方としても、火の通った〝焼きスイカ〟を食べるのは初めてだ。口に入れると、まずベーコンのスモークの味がして、それから温かいスイカがグシャリとつぶれ、焼かれているのに健気にもシャリシャリしていて、それから帆立ての味になり、そのあと口の中にスイカの水分があふれる。

ベーコンと帆立てにはさまれてスイカが健闘した、とも思えるし、スイカに気の毒した、とも思える味だ。

その次が「牛ヒレ肉のアスパラ巻きとすいかのフライ」。

もう一度書きますが「すいかのフライ」です。これまでの人生観と価値観がひっくり返るような字ヅラではありませんか。

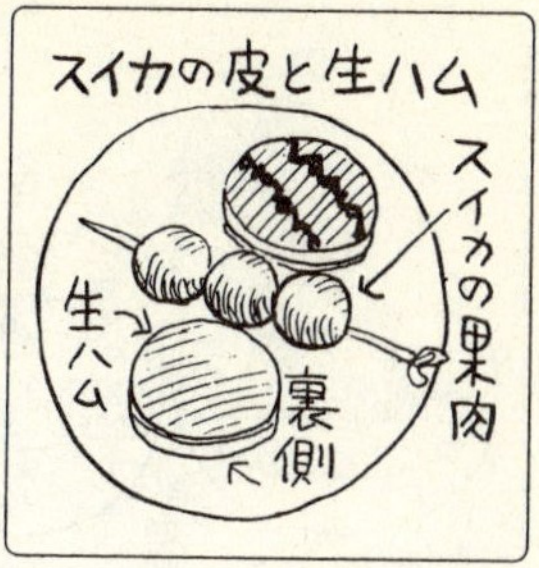

二枚のチーズの間に薄切りのスイカの果肉をはさんでパン粉をつけて揚げてある。

その大きさ、丸さからいってハムカツそっくりだ。

この中にスイカがひそんでいて、苦しんでいるとはとても思えない。

またしてもスイカ史上初めて、スイカが油の中をくぐったのだ。

全体としてはチーズとコロモの味で、チーズとコロモとスイカの座談会にスイカもちゃんと出席しているのだが、発言が少なかった、というような味だ。

最後が「すいかのババロア」。

スイカのシャーベットとか、スイカのババロアはありそうでいて実際にはなかなかない。

ババロアを食べ終えてコーヒー。

遠い昔、庭先のヒマワリを見ながら、縁側に腰かけてかぶりついていたあのスイカが、フランス料理のレストランの白いテーブルクロスの上の白い皿の上にのせられたのだ。

スイカを引き立ててあげた、とも思えるし、いじめた、とも思える。

なお、この「スイカフルコース」は、今年（一九九五年）の八月一杯で終了だそうです。

フラメンコの夜

食事は静かな環境で食べるのがいちばんだ。静かな場所で、ゆっくり落ちついて、料理の一つ一つを穏やかな気持ちで味わう。

大抵のレストランは、そういう雰囲気を心がけている。

周りの人も、あまり大声は立てず、ひっそりと食事をしている。

ときとして、食器のふれ合う小さな音。ときとして、小さな笑い声。隣のテーブルからは、聞こえるような、聞こえないようなひそひそした会話。

食事のときの隣人は、とにもかくにも静かな人であって欲しい。

大声で騒ぐ人であって欲しくない。

自分のテーブルの隣で、突然、大声をあげて騒ぐ人がいたらどうなるか。

とても食事どころではなくなるにちがいない。

自分のテーブルの隣で泣き叫ぶ人、というのも困る。

舞い狂う人、というのも困る。

怒り狂う人、も困る。

なじるように詰め寄ってくる人、も困る。

床を激しく踏み鳴らす人、も困る。

自分が食事をしている隣でこういうことが始まったら、とにもかくにも食事を中断してボーイを呼ぶか、あるいは自ら、

「みなさん。とりあえず落ちつきましょう。大人になりましょう。大人の話をしようじゃありませんか」

と、仲裁に入ることにならざ

るをえない。

さて、こちらは、新宿にあるスペイン料理店「エル・フラメンコ」です。

フラメンコという踊りはご存知ですね。激しく腰をくねらせ、激しく体をクルクルと回転させて激しく手拍子を打ちながら、激しく相手をキッと睨《にら》む。

激しく相手を指さし、激しく詰め寄って行ったかと思うと、急に立ちどまり、激しくもだえて激しく泣きくずれる。

激しくない部分が一つもない激しい踊りだ。

「エル・フラメンコ」は、このフラメンコを鑑賞しながらスペイン料理を味わうという、ショータイムつきのレストランだ。

ショータイムは七時からだが、六時半ぐらいには客席はほぼ満員になる。

メニューを見ると珍しい料理が多い。

チリンドロン（二二〇〇円）というのがある。珍しい名前なので注文してみると、若鶏の洋酒蒸しだった。トマトソースの味つけになっている。

カジョスというのは牛ミノの料理で、〝ビーフシチューのビーフを牛ミノに置き換えた〟というような料理だ。トルティージャがスペイン風オムレツで、アングラスが鰻《うなぎ》の稚魚のオリーブオイル炒めだ。

トルティージャは、わりに大きめのジャガイモがゴロゴロ入っているオムレツで、味つけはさっぱりしている。

鰻の稚魚は白くて細くて、〝うんと細めのモヤシ〟といった感じだ。

これは以前にも、いろんな店で何回か食べたが、何回食べてもピンとこない料理だ。

鰻の稚魚は、成魚の味と全く違う味で白魚に近い。鉄鍋の中の煮えたぎったオリーブオイルの中に、白い稚魚が百匹ほど浮いていて、これを竹のフォークで十四ほどずつすくって食べるのだが、ほとんど味がなく、すくって食べては「?」、すくって食べては「?」と、「?」を十回くり返して食べ終わることになる。

どちらかというと
フラメンコ
よりも
わたしら
芸者の
手踊りの
ほうが・・・

といったような料理を、心静かに味わっていると、あたりが急に暗くなった。いよいよフラメンコが始まるのだ。

男女四名ずつ、総勢八名の異国の人々が現れて、十二畳ほどの舞台の奥に一列にすわった。

この店のかぶりつきのテーブルは舞台に接している。ぼくは左側のかぶりつきの席にすわっていた。

ぼくがトルティージャのジャガイモを口に入れた

とき、急に激しい手拍子が起こり、ギターが狂ったように掻き鳴らされ、激しい歌声と共に一人の男のダンサーが立ちあがり、激しくぼくのほうを指さしながら、激しい足踏みの音と共に詰め寄ってきたのである。

ギョッとなったぼくは、思わず立ちあがって皿を持って逃げようと思った。

彼は何事かを激しく訴えているようなのだが、スペイン語なので何一つわからない。

だから身ぶりとか、表情などで想像するよりほかはないのだが、そっちから想像すると、とにかく〝大変なことになった〟ということはよくわかる。ただならぬ事態、憂慮すべき騒動が起こったということはまちがいないようだ。

ぼくはとりあえずボーイを呼んで、この騒動をとり押さえてもらおうと思った。だがボーイは、「オーレイ」などというかけ声をかけて、かえって騒動をあおっているようなのだ。

こうなったら仕方がない。

自ら舞台にあがって行って、

「みなさん。とりあえず落ちつきましょう。大人になりましょう。大人の話をしようじゃありませんか」

と言うよりほかはあるまい。

と思ったのだが、周りの客はきわめて冷静であった。

ぼくと反対側のかぶりつきに陣取った、実直そうな中年サラリーマンの一団は、特に冷静だった。

スペイン人独得の険しい顔つきのダンサーが、残る七人の激しいギターの音と、激しい手拍子と激しい絶叫と共に、何事か激しく訴えながら、髪ふり乱して詰め寄って行っても、実直の表情を少しもくずすことなく、

「ああ、そうですか」

「はあ、そんなものですかね」

というふうに、実直そうにうなずくのであった。

「おかず横丁」で買いだおれ

いよいよあす、鳥越の「おかず横丁」に行くという日の夜、ぼくは興奮してなかなか寝つかれなかった。

この東京に、「おかず横丁」という名の一帯がある。そう思うだけでなんだか楽しい。お惣菜じゃなくて、おかず、というのがまずいい。横丁、というのがまたいい。

〽向う横丁の煙草屋の可愛い看板娘……という古い歌を、つい思い出すような昔懐かしい響きがある。

表通りから横に入った細い通りの両側に、おかず屋さんがズラリと並んでいるにちがいない。おかずからは湯気があがっているにちがいない。夕暮れの横丁一帯に漂うおかずの匂い……。

きっと、西岸《さいがん》良平《りょうへい》さんの漫画「三丁目の夕日」に出てくるような、ああいうたたず

まいの町並みにちがいない。

そういうおかず屋さんの一軒一軒、ことごとく立ち寄って、山のようにおかずを買ってくるのだ。手さげ紙袋十枚にリュックも背負って行こう。帰りは両手におかず、腕におかず、背中におかず、全身おかずだらけになってよろめきながら帰ってくるのだ。

背中のリュックの中のおかずの袋が破れて、背中のシャツにおかずのツユがしみてくるにちがいない。そのおツユが、やがておなかのほうに回っておヘソにたまるにちがいない。

ああ、考えただけでも胸が高

鳴る。

台東区鳥越二丁目、長さ二百メートルの横丁「鳥越本通り商盛会」が、おかず横丁の正式名称だ。

なんだ、そうか、みんなが勝手に「おかず横丁」と呼んでるだけなのか、と思ってもらっては困る。

横丁の入口のところに、ちゃんと「おかず横丁」という大きな看板がかかっている。各おかず屋さんの店先には、「おかず横丁」と書かれた赤い提灯《ちょうちん》がぶらさがっている。この横丁の店のすべてがおかず屋さんというわけではなく、六十五店の商店のうちの約四十軒がおかずを主体としたお店というわけなのだ。

横丁の入口と出口のところに車止めがあって、ここには車が入ってこない。

人も自転車も犬も、手押し買い物車のおばあさんも、のんびりと、道をななめに、また横に、好きなように横切っているところが横丁らしくていい。

まず横丁の入口のところは「松屋商店」という肉屋さんで、店頭からコロッケやトンカツを揚げるいい匂いがしてくる。店先の道路に「名物やき豚」「おいしいご飯」の二行を大書した立て看板が置いてある。どうやら焼き豚が名物らしい。

店先をのぞくと、〃できますもの〃の大きな貼り紙があって、とんかつから始まって一口かつ、ヒレ串かつ、めんち（原文のママ）と続き、ちょうどまん中あたりに、ウーム、懐かしのハムかつがあるぞ。あじフライ、ういんな揚げと続いて、その数およそ二十五種類。

ちょうど夕暮れどきとあって店頭にはおばさん三名、おじさん一名が並んでいて、見ているとこの店は、作り置きは焼き豚だけで、あとは全部オーダーメードのようなのだ。

「五百円ぐらいのかつ一枚揚げて」

「あじ二枚にミニめんち一枚ね」

と注文があってから揚げ始める。

とりあえず二百メートルの横丁をざっと見てくるつもりだが、あとでこの店には必ず寄ることにしよう。

ハムかつと、ういんな揚げと、ヒレ串かつはどんなことがあっても買うぞ。めんちも買うぞ。あじのフライも買うぞ。うずら卵串というのも買うぞ。おかずのおツユのほかに揚げもの関係の油も背中のシャツにしみてくるかもしれないが覚悟はできてるぞ。

「松屋商店」をあとにして進んで行くと、「郡司味噌漬物店」という有名らしい味噌店があって、むろん味噌も売っているが店頭にはおいしそうな漬物もたくさん並べられている。

聖護院大根の漬物やら、いぶりがっこやら塩ラッキョウやら……ウーム、買わずにはおかないぞ。おかずのおツユに揚げものの油に、さらに漬物のシルまでもが加わって、背中のシャツどころか、全身、ツユと油とシルまみれになるにちがいないが、もとより望むところだ。

左ななめ前方には、「八幡太郎義家納豆二百円」というノボリがはためいている。その先は昔懐かしい荒物屋で、ハタキ、ホーキ、バケツ、タワシが店先にうずたかく積んである。〝荒物屋〟はすでに死語かもしれないが、現物はここにこうしてちゃんと生存しているぞ。

竹かごに、湯気をあげたふかし芋と大学芋を並べて売っている店があり、その先には煮魚専門の店がある。

膨大なメニューを掲げた焼き鳥の店からは焼き鳥の匂い。

下駄屋さんがあって、その次は「竹ワ天」（原文のママ）もメニューの中にある「大津屋」という天ぷら屋さんがあって、その先の「理髪一番鳥越店」という理髪店は「パンチ　6300円」「女性襟足剃　500円」だし、反対側の衣料品店には「婦人足な

し タイツ」「紳士ステテコ」「婦人メラン・ズロース・五分、七分、ズロース下」という、よくわからない貼り紙がさがっており、どうもなんだか歩いているだけで楽しい横丁だ。

「紳士」と「ステテコ」の取り合わせがまことに横丁的だ。

横丁のまん中へんにある、手打ち蕎麦屋の店先にはポンプ井戸があった。

このポンプ井戸は生きていて、押してみるとちゃんと水が出る。

その次が八つ頭を煮たのや、竹の子を煮たのや、ハスを煮たのなどの、〝たの物〟のおかず屋さんで、その先には「モヤシ揚げ」もメニューにあるさつま揚げ屋さんがあった。

さあ、どの店から買い始めることにしようか。

「おかず横丁」で買いだおれ　そのⅡ

全長二百メートルほどの「おかず横丁」のはじからはじまで下見をしたあと、再び入口のところに戻った。

いよいよ買い出しのスタートだ。

最初の店は、肉、コロッケの「松屋商店」。まず懐かしのハムかつを二枚揚げてもらった。それからういんな揚げ、ヒレ串、めんち、あじのフライ、うずら卵串を一つずつ。いずれも九十円から百円の値段である。

受けとると袋が熱い。早く帰って、テーブルにズラリと並べて、ビールをゴクゴクやりながら早く食べたい。

ぼくが揚げてもらっている間にも、次から次へと客がやってくる。みんな近所の人ばかりで、店の人とはツーカーの仲だ。

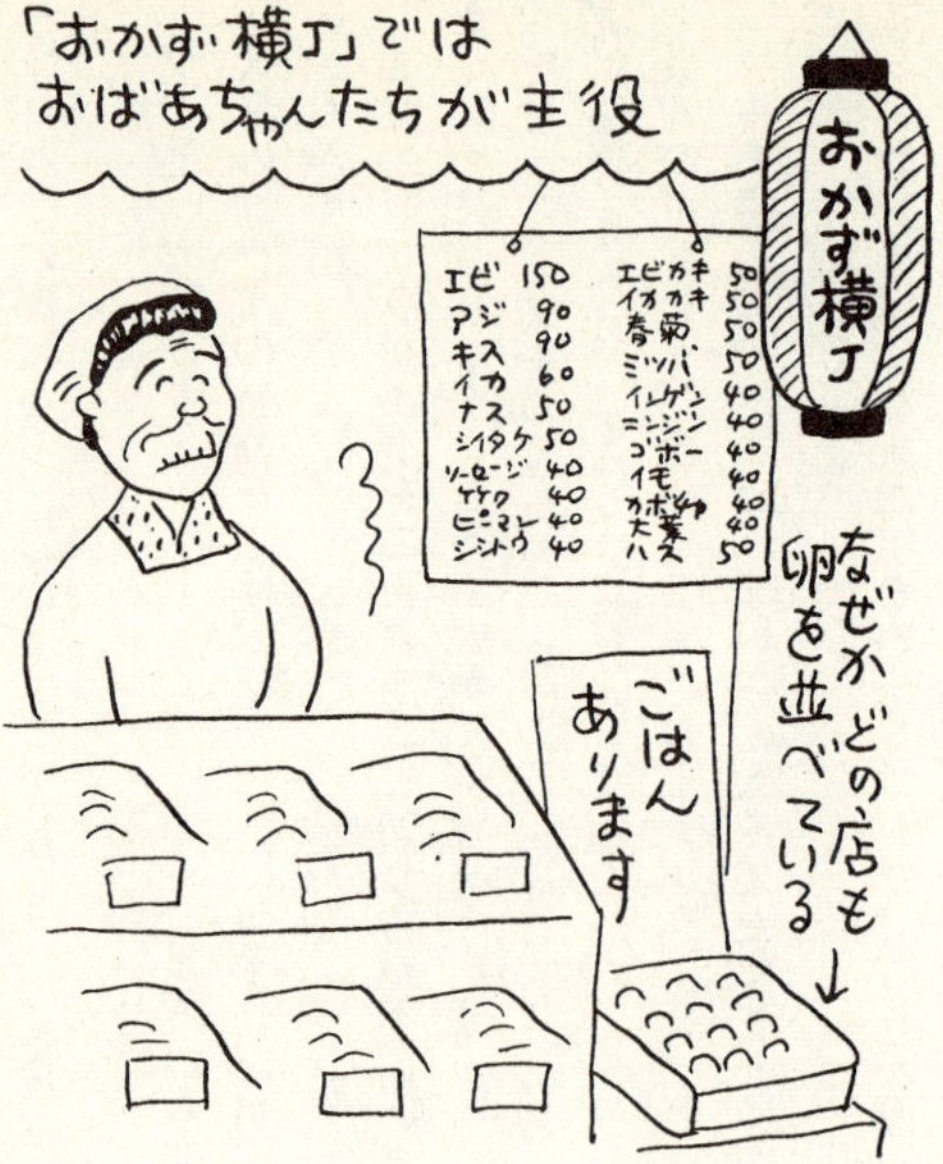

自転車でツーとやってきたおばさんは、自転車にまたがったまま、

「アジフライ四つとイカとコロッケ三つずつ」

と注文すると、店のおじさんは、

「じゃ、おばあちゃんはアジだけなんだ」

とつぶやき、ツーのおばさんは、

「そ」

と答えて、またツーと行ってしまった。

この会話は何を意味するのか。

ツーのおばさんの家族構成は、おばあちゃんも含めて四名で、今夜の夕食はおばあちゃんはアジフライだけ、あとの三人はアジとイカフライとコロッケで食べるんだ、そうなんだ、と、店のおじさんはこう推理したのだ。アジとイカとコロッケの総数から、「ツッー家の人びと」の食卓の風景が鮮やかに頭に浮かんだのだ。

ツーといえばカー、ツツーとくればこう。そういう間柄なのだ。

大量のフライの包みをさげ、その匂いに包まれながら次の店に向かう。次は店名のない「おかず屋」さんだ。

まずキンピラゴボウを二百グラム。切り方が不揃いで、太いのや細いのがあるところが、いかにもおかずらしくていかにも旨《うま》そうだ。

それから、フキの煮たの、レンコンの煮たの、竹の子の煮たの、八つ頭の煮たのの「たの物シリーズ」をひととおり買った。

最初のキンピラと合わせて「たのキンシリーズ」ということになる。

フキの煮たののフキは、ずいぶん太くてたくましくて、醬油色に染まって実に旨そうだ。

レンコンも、これまたでかいレンコンで、これが厚く切ってあって色濃く、いかにもおかず風でいかにも旨そうだ。デパートの食品売り場に並んでいる、薄い色に煮あげたフキやハスなどと正反対の煮方だ。

いずれも二百グラムずつ買った。

全部計り売りだから、店の人は大変だ。この店のおじいさんが発明したという、茶漉しの網の部分を取りはずしたようなワッカの器具を駆使して、店のおばさんは奮闘している。

ビニールの小袋のフチを、ワッカにひっかけて拡げ、そこにおたまですくったおかずを投入する方式だ。

さあ、ずいぶんおかずを買ってしまった。これまで買った分だけでも、もはやテーブルには並べ切れまい。しかし、買い物はさらに続けるのだ。きょうは、全身をおかずでおおわれた〝おかず人間〟となって帰る決意でこの「おかず横丁」にやってきたのだ。

「魚米」という魚屋さんは、店頭におかずの部を開設している。イカの煮つけ、サワラの煮つけ、銀ダラ、メヌケは粕《かす》漬けにしたのを焼いて売っている。サンマは丸ごと一匹焼いたのが二五〇円。サバの塩焼きが二〇〇円。サワラと銀ダラとメヌケを買った。
この横丁のおかず屋さんは、どの店も必ずゴハン

をいっしょに売っている。この横丁でおかずを買い、熱いゴハンを買って帰れば、すぐに晩ゴハンだ。だから、来るときはゆっくり歩いてきた人も、帰りは全員小走り気味になる。「郡司味噌漬物店」では、聖護院大根漬、タクアン、塩ラッキョウ、いぶりがっこを買った。手さげ紙袋二個が満杯となったので、背中のリュックに分配することにした。

商店と商店の間で、その作業をしつつ、つい誘惑に負けて、さっき買ったハムかつの一枚を、手づかみでかじってしまった。いや、その旨いこと。懐かしいこと。

さらに歩いて天ぷらの「大津屋」へ。まず「竹ワ天」(四〇円)。それからソーセージ天、インゲン、ゴボウ、エビカキ、アジを買った。アジ天は、さっきアジフライを買ってあるのでずいぶん迷ったが、ええい、と気合を入れて買ってしまった。

常識的に考えると、この物量はただごとではない。常軌を逸している。それはわかるが、もう、どうにもとまらないのだ。

「松村」というさつま揚げの店で「もやし揚げ」(五枚二〇〇円)と「紅生姜ボール」(三個五〇円)を買った。この「紅生姜ボール」は、ビールに絶対合うはずだ。

恥ずかしながら、さらに「鳥吉」で、レバ焼、皮焼、いろいろとりまぜて合計十本買った。

このあたりになると、さすがにおかず疲れを感じてきた。ようやく（これでやめよう）という気になった。

驚くことに、この横丁で買ったおかず、どれもこれも全部おいしかった。

「これはちょっと」というものが一つもなかった。色濃く、味濃く、時間をかけて煮た昔風のおかずがいかにおいしいか。色浅く、味薄く、いかにもあっさり風に煮たデパートの煮物がいかにまずいか。

キンピラのゴボウの繊維に、醬油と砂糖がようくしみこんで、太いところは太いおいしさ、細いところは細いおいしさ、平らなところは平らなおいしさがある。「裸電球六〇ワットの下で煮た家庭のおかず」の味。それが鳥越「おかず横丁」の味だ。

郷愁のアベカワ餅

お正月って、お餅をいろんなふうにして食べるじゃないですか。

お雑煮にして食べたり、磯辺巻きにして食べたり、お汁粉にして食べたりするじゃないですか。

あれこれ、ひととおりやってみようなんて思ったりするじゃないですか。

そういえば、アベカワなんてものもあったな、なんて思って、

「アベカワにして食べてみよう」

と思いたって、さて、アベカワというのは確かキナコだな、キナコに砂糖だな、それを餅にまぶしつけるわけだが、どうするんだっけ、餅を濡《ぬ》らすわけだから、焼いてから湯につけるわけだな、ようし、やってみよう、なんてことになるじゃないですか。正月って、そういうもんじゃないですか。

もうお気づきのことと思うが、この「……じゃないですか口調」、最近多すぎると思いませんか。

テレビのレポーターあたりが使い始め、ついにはニュースキャスターまでもが使い始め、いまや主婦からOLから茶髪のオニイチャンまで盛んに愛用している。

困るじゃないですか、こういう流行は。

一見、相手に問いかけているようで、相手がそれに対して口をはさむのを固く拒絶している。

会話というものは〝交わす〟ものなのに、交わすことを拒んでいるのだ。

自分がしゃべりたいことを、えんえんと話していくための防波堤として「じゃないですか」を使っているから、当然相手は不愉快になる。

えーと、なんでしたっけ。

そうそう、アベカワだった。

それにしても、アベカワ＝キナコ餅は、いまや遠い日の正月の風景の中にかすんでいる。キナコそのものが、もはや日常の食卓から離れてしまった。第一、キナコなんてものは、いまどきスーパーなどで売っているものなのか。

売ってるんですね。

一袋（百グラム）百五十円から五百円までの開きがある。

国産大豆とか、輸入ものとかの、そういう違いなのだろう。

売っている、ということは買う人がいるということだ。

ということは、キナコ餅愛好家がまだまだたくさんいるということになる。

これを買って帰って、とりあえず砂糖を混ぜてみる。

袋には「お好みの量に、砂糖と食塩少々を入れ、こんがり焼いていったんお湯につけたお餅の上にふりかけてください」と書いてある。

$\frac{1}{3}$ほどの砂糖を混ぜ、甘さをみるために一サジすくって口に入れてみた。

一言注意しておきますが、これだけはやらないでください。とんでもないことになる。最初「ケホッ」ときて、それをこらえていると「カホッ」ときて、それもこらえていると次が「パホッ」で、ついには「ブホッ」と全部吐き出すことになり、あたりは「夜霧よ今夜もありがとう」状態になる。口の中は「粉雪舞い狂う恋の街札幌」状態になる。（「恋」は余計だが）

そもそも人間の口中というものは、粉そのものを食品として迎え入れるということはほとんどない。ないから、その対策を持っていない。

そういうことって
よくあるじゃないですか
バカ

もし過去に、粉そのものを迎え入れた経験がたくさんあれば、当然それに対応する方策ができていたはずだ。

家屋解体のときに、ホースを持って舞い上がるホコリに水をかけている人がいますね。ああいう係の人というか、装置というか、そういうものが口中にできていたはずだ。

龍角散を飲んだことがある人ならば、サジ一杯の粉末が口の中でどのように作用するかよくわかると思う。

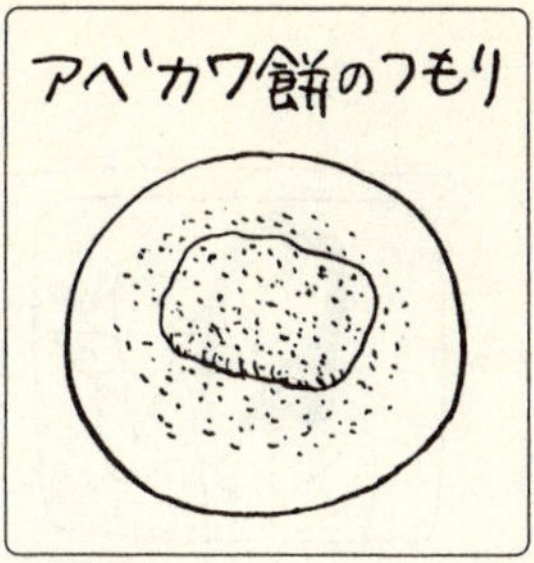

とにかく、これだけはやめてくださいね。
キナコ一に対し砂糖$\frac{1}{3}$では、まるで甘みが足りない。半々にしてもまだ足りない。それから、「焼いたあとお湯につける」では味が中途半端だ。
ショージ方式はこうだ。
餅は最初から煮る。餅が湯あたりしてぐったりとなり、タスケテクレというまで煮る。キナコと砂糖は一対一。「ふりかける」なんてものじゃない、徹底的にまぶしつける。

銀粉ショーの人を、銀粉の中に埋め込むぐらいまでまぶしつける。

ではこれを口に入れてみましょう。

おっと、そうか、そうだったのか。アベカワは箸で食べるものだったんだっけ。なんだか手で食べていたような記憶があったが、この銀粉ショーならぬキナ粉《ふん》ショー的餅は、手づかみというわけにはいかない。

口に入れて引っぱって嚙みとる。

ようく煎《い》って碾《ひ》いた大豆の香ばしい味と香り。うんと湿り気をおびたところと、乾いているところとでは、キナコの味が違う。

それを全身にまぶされたユルユルの餅のおいしさ。

肉などの強い味と違った、ぼんやりした穀物と穀物だけの組み合わせの味。キナコは意外にもぼんやりした味であった。蕎麦がき、くず湯、しらたま、甘酒、おかゆなどに共通する日本の昔の味であった。

昔の日本人は、こういう味の暮らしをしていたのだ。

まして砂糖のなかった時代は、もっと淡い味の暮らしだったに違いない。

あ、それからですね、これはとても大事なことですが、お皿はうんと大きめのを用いてください。

とかくキナコって、皿からこぼれがちなところがあるじゃないですか。

ズボンなんかについたキナコって、なかなか落ちにくいじゃないですか。

あ、へんな口調がうつっちゃったじゃないですか。

駅弁王？「峠の釜めし」

全国の駅弁ファンが待ちこがれる新宿京王デパートの「全国有名駅弁大会」が、ことしも例年どおり、一月の中旬から開かれた。

「これだけが楽しみで一年をおくっている」という定年退職のおとうさんと、「これだけが楽しみで一年をおくっているおとうさんといっしょに暮らしているおかあさん」たちの絶大な支援を受けて、この催しは年々盛んになるばかりだ。

この駅弁大会は、別名「駅弁の甲子園」といわれているそうだ。

この大会で一番売れた駅弁が、全国制覇ということになり優勝ということになるのだという。だから、この大会に対する各駅弁会社の力の入れようはひとかたではない。

ことしは、一位「函館本線のいかめし」、二位「信越本線・横川駅の峠の釜めし」、三位「富山駅のますのすし」ということになった。

この釜の尻の手ざわりも

「いかめし」は、大きさも他の駅弁の半分ぐらいで、値段も四百五十円と破格的に安く、数をさばくにはとても有利だ。だから「いかめし」はさておくとして、問題は二位の「峠の釜めし」である。

「峠の釜めし」の知名度は、数ある駅弁の中で群を抜いている。「峠の釜めし」と言えば、日本国民の誰もが「ああ、あれね」と、その全容をパッと頭に思い浮かべることができる。

有名駅弁は数多いが、こういう存在は「峠の釜めし」をおいてない。国旗、国歌、国鳥、国犬という概念を駅弁に導入すれば、「峠の釜めし」は、まさに「国駅弁」ということになる。

「峠の釜めし」は、なぜこれほどの支持を受けるのか。

ウーム、なぜだろう。

まず思いつくのは〝峠〟の威力である。日本人は、峠には特別の思い入れがある。

山国日本の旅は、峠越えを余儀なくされる。

それぞれの地方の峠の一つ一つに、それぞれの物語がある。

天城峠、野麦峠、大菩薩峠、十国峠、三国峠……。

「あゝ野麦峠」と聞いただけで、涙腺の元栓を二〇パーセントゆるめる人もいる。

「峠の釜めし」ではなく、「横川の釜めし」だったら、この駅弁のこんにちの隆盛はなかったにちがいない。

〝峠〟は日本人の旅の象徴であった。

もうひとつ、〝釜〟の威力ということも考えられる。

日本人は、釜には特別の思い入れがある。釜は日本人の食事の淵源であり、かつての家庭の象徴でもあった。

つまり「峠の釜めし」は、旅の象徴である〝峠〟と、家庭の象徴である〝釜〟の、二大象徴を具有しているのだ。

「だからどうなんだ」

と言われると非常に困るのだが、つまりですね、人間、旅にしあれば家を思い、家にしあれば旅をぞ思う。なんかそんなようなことを、大伴家持さんか山部赤人さんかなんかが歌にしていたような気がするような気がする。

「峠の釜めし」というネーミングには、そうした思いが込められていて、それが人々の心を打つのだ。

もちろんネーミングだけでは商品は売れない。

昆布と醤油で炊いた茶めしの上にのっている鶏肉の甘辛煮、ささがきゴボウの煮物、筍、しいたけ、うずら卵、色のうすい紅生姜、グリンピース、栗の甘煮、アンズの煮たのの九種類の具。

この“掘る”感じが
とってもよろしいんですのよ

とりたてて珍しいものはないが、それぞれの味つけに精魂が込められている。別の容器に入っている、山ゴボウ、小梅、小ナス、きざみキュウリ、ワサビ漬けの五種類の漬物も、少量ながら手を抜かない厳選ぶりがうかがえる。

手に持ったときの重さも「峠の釜めし」の魅力の一つだ。陶器製の釜はズシリと重い。この重い釜を、ときには手に持ち、ときにはヒザに置いて食べる。

ヒザに置いたときの、ズシリと沈む沈みぐあいが心地よい。

この釜めし、どのぐらいの重さがあるか知ってますか。
①約五〇〇グラム、②約八〇〇グラム、③約一キロ、のうちどれでしょう。
正解は③で、正確には一キロと一二〇グラム。

この「駅弁大会」の二日目、出かけてみると、冒頭に書いたようなおとうさんとおかあさんの大行列だった。

ぼくの前の夫婦づれは、「ご近所からも頼まれた」という

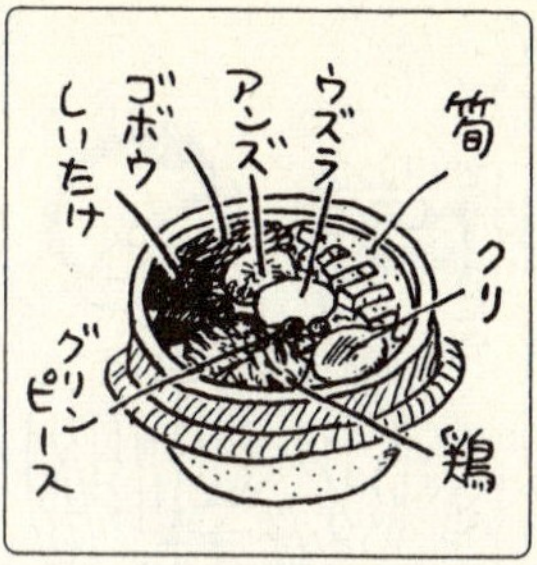

六個持って歩き始めたおとうさんは、六歩歩いて急に怒り出した。
おかあさんが「峠の釜めし」を六個購入しておとうさんに持たせた。「重い」と言って怒り出した。
おとうさんも、最初は（たかが弁当の六個ぐらい）と思って歩き出したものの、六歩歩いたところでその重さがふつうでないことに気づいたのだ。六キロという重さは大変なものだ。
この「駅弁大会」に対する京王デパート側の気合の入れ方も相当なものだ。各売り場を、地方ごとに①番線、②番線と区分けし、中央の一画にかなりのスペースをさいて、買った駅弁をすぐ食べられるコーナーをつくっている。

そこは地方の駅の待合室のような造りになっていて、駅のベンチ風のものがいくつも置いてある。

「重い」と怒ったおとうさんとおかあさんはとりあえずそこに直行し、六キロが四キロとなったおとうさんは、すっかり機嫌がよくなって帰っていくのだった。

ガンバレ中華丼

中華丼はおいしい。

まず、このことを力強く申しのべておきたい。

すなわち、わたくしは中華丼の味方である。この立場も最初に明確にしておきたい。

どうもこのごろ、世の中全体が中華丼に対して冷たいような気がしてならない。内閣支持率というものがときどき発表されるが、最近の中華丼の支持率はどうなっているのだろう。

支持する　　二十三パーセント
支持しない　四十七パーセント
あとの三十パーセントは、関心がない、といったところではないか。

すなわち、世の中の大部分の人が、「そういえば、ここ十年、中華丼食べてないわね」

的状況、および、「そういえば、中華丼なんてまだあるの？」的状況にあるにちがいない。

中華丼はまだある。

大抵のラーメン屋風中華料理屋のメニューにあるし、スーパーに行けば、「中華丼の素」が大手二社から発表されている。中華丼はしぶとく生きのびている。

ぼくが学生のころは、中華丼の支持率はもっと高かったように思う。

「きょうは中華丼にしようか、天津丼にしようか」

などと、しょっちゅう迷ったものだった。天津丼というのは一種のカニ玉丼で、こっちのほうはカニの値段が高騰してからは見かけなくなった。

中華丼はなぜ生きのびているのか。

中華丼は、白菜、筍、しいたけ、キクラゲ、豚コマなどを油で炒め、これに片栗粉でトロミをつけてゴハンの上にドロリとかけたものだ。その上にウズラの茹《ゆ》で卵を一個のせる。

つまり、この材料、全部中華屋の冷蔵庫にいつもあるものなのだ。

中華丼のために仕入れたものなど一つもない。注文さえあれば、いつでもたちどころに作れる。

しかし中華丼はあまりに魅力に乏しい。魅力のある材料が一つもない。

しかし中華丼はいつでもすぐ作れる。

これが、中華丼がいかに衰退しようとも亡びない理由なのだ。

中華丼は見た目もよくない。灰色がかった全体は、色彩的にも訴えてこない。なんだかまずそうでさえある。しかし、食べてみると意外においしいんですね。

ついこのあいだも、高円寺のほうに用事があったついでに、一軒の中華屋に寄って中華丼を食べてきたばかりだ。

でも、中華屋に入って「中華丼」と注文するときはけっこう勇気が要りますね。その店は、菅井きんさんを太らせたようなオバサンがテーブルに注文を取りに来たのだが、

ぼくが、

「中華丼」

と言うと、一瞬、「エッ？」というような顔になった。

虚を突かれた、という顔になった。

それから、（この人はフツウの人じゃないわね）というウサンくさそうな顔つきになった。

もともときんさんの目はウサンの目なのだが、そのウサン指数が高くなった。フトきん（太めのきんさん）は、「ご注進、ご注進」という感じで厨房に入って行った。

そのあと出てきた中華丼が旨かった。炒めるときに、中華系のスープを混ぜたらしく、トロミに味がある。
この味のついたトロミが、白菜の葉先のしんなりしたところによくからまっていてゴハンに合う。
中華丼は、白っぽい塩系のものと、やや茶色っぽい醤油系のものがあるが、この店のは醤油系だ。
すなわち、ラーメンのスープにトロミをつけてか

けた〝トロミかけめし〟となっている。

中華丼はレンゲで食べる。

レンゲというのは肉厚だし、先端もとがってないし、このトロミかけめしをすくいあげるのに適していない。

〝しいたけとゴハン〟だけをすくいあげようとするのだが、そこに白菜の葉先が混ざりこんできて、それがレンゲからダラリとたれ下がる。

〝肉とゴハン〟を取りあげようとするのに、そこに大きな筍が倒れこんできてレンゲにのっかる。

まるで、解体家屋の廃材をすくいあげているショベルカーの運転手のような心境だ。

いっしょについてきたザーサイの一片を取りあげるのにも苦労する。どうしても〝レンゲで追いつめる〟というカタチになる。

最後の一口分のゴハンがなかなかすくいあげられない。これも〝追いつめる〟カタチになる。追いつめると相手は逃げる。

それにしても、この〝中華丼〟というネーミング、つけもつけたりという気がしませんか。外国人なんかが見たら、「うむ、全中国料理を代表する華麗な丼料理だな」と思うにちがいない。それにまた、中華丼と称しているのに、丼ではなく皿で出てくるのはいかがなものか。

中華屋に入って中華丼を注文すると、店の主人が急にがっかりしたような顔になるのはなぜか。「フトきん」の御主人も明らかにがっかりしたような顔になった。チャーハンなんかだと、ヨーシ、と気合が入るのだが、中華丼は情けなさそうに作る。

中華丼は、カレーより簡単に作れるのに、家庭ではまず作られることはないのはなぜか。

「ラーメンでもとるか」と、ラーメンの出前をとるウチはあるが、「中華丼でもとるか」というウチは一軒もないのはなぜか。

すべて、中華丼に魅力がないせいだ。

最初に、中華丼の味方という立場だ、と言ったのに、出てくるのはグチばかりだ。

海苔の一膳

今回は海苔《のり》の佃煮《つくだに》でいこうと思い、書き始めてはみたものの、なんだか急に心細くなってきた。

海苔の佃煮などという、あまりにも地味なテーマで、一回分の原稿が書けるものかどうか。

海苔の佃煮は、話としての発展性に乏しい。

海苔の佃煮は、熱いゴハンにのせて食べるととてもおいしい。

と書いて、あともう何も書くことがない。

海苔の佃煮について、このほかに何か書くことがあるだろうか。

弱った。

この連載原稿は、一回分が、四百字詰め原稿用紙で約六枚だ。ここから先、もう書く

ことがないので、では、さようなら、というわけにもいくまい。

やはり、海苔の佃煮で一回分の原稿は無理だったのだろうか。

しかし、もう締め切りまであまり時間がない。いまから別のテーマを考えて、それについて書くというのはとても無理だ。

あのう、こういうことってありませんか。

海苔の佃煮は、ビン詰めの小さな口に、ジカに箸を突っこんで食べてこそおいしい。

もしあれが、珍味入れのような小鉢に入れられて供されたらどうか。

同じビン詰め仲間のイカの塩

辛とか、コノワタなどは、小鉢に入れられてもイキイキとしている。魅力ある食べ物であることに変わりはない。

海苔の佃煮はどうか。

どうもなんだか、急に落ちぶれたように見え、急に魅力が色あせる。

やはり、あの小さな口に箸を突っこみ、あてずっぽうに海苔をさぐってつまみ取り、引っぱり出して箸の先を眺め、

「うん、とれた」

なんて思いながら、ゴハンの先に少量ペタペタなすりつけて食べてこそおいしい。

一回目で箸の先に収穫が少なかった場合は、もう一回箸を突っこみ、今度は多すぎ、もう一回やり直してつまみ出したりして食べてこそおいしい。

〔海苔の佃煮は、ビンの間口の小ささにおいしさがある〕

桃屋の「江戸むらさき」のビンの口の直径は三センチだ。

お箸というものは二本そろえると大体一センチの幅になる。余裕が二センチしかない間口の中で、箸をあやつる不自由さ。それを経験するからこそ、あとで海苔の味が生きてくる。

うん、ここまでで、すでに原稿用紙二枚半。

なんとかもちこたえてきたぞ。

海苔の佃煮でなんとかなるかもしれない。

海苔の佃煮は、ビンのままで食べてこそおいしい。そのビンも、間口が狭くなければおいしくない。

それが証拠に、たとえば、「宴会用お徳用袋一キロ入り」なんていうのがあるとしますね。

これを、ラーメン丼のような大鉢に山盛りに盛りあげて、宴会のテーブルにドンと出したらどうか。

おそらく誰も手を出さないにちがいない。誰も手を出さないので、これを桃屋の小ビンに一つずつ詰めて、一人一人に手渡すと、今度はみんな急にうつむいてビンをほじり始めるはずだ。

そういうものなんです、海苔の佃煮というものは。

……。

エート、あとなんかないかな。

……弱ったな。

あともう少しなんだけど、あとが出てこない。やはり海苔の佃煮を取りあげたのは間違いだったのだ

狭いながらも
楽しいノリックー
江戸むらさき

ろうか。

海苔の佃煮は、熱いゴハンにのせて食べるとおいしい。

あ、これは最初のほうで一回書きましたね。

でも、その食べ方なんですが、大抵の人は、一口分のゴハンの上にちょこっとのせて食べる。〝のせ食い〟ですね。

この食べ方以外の食べ方で食べたことありますか。

ないでしょう。

その①　ゴハン茶わんに半分ぐらいのゴハンを入れ、適量の海苔の佃煮を混ぜて〝海苔つく混ぜゴハン〟にして食べる。

こうすると、海苔がジカに口の中に当たることがないため、海苔の味がとてもマイルドになって別の味になる。プーンと海苔の香りも立つ。

その②　一枚の干し海苔を、味つけ海苔大に切る。これに海苔の佃煮をうすく塗る。

〝海苔ダブル〟というわけですね。これでゴハンを巻いて食べる。

醤油の代わりに海苔の佃煮を使うという、まことに贅沢なものだ。

口の中で、干し海苔の味と、海苔の佃煮の味がして、同じ海苔なのに、こうもはっきり味がちがうか、と思っているうちに、両者は渾然《こんぜん》一体となって熱いゴハンと混じり合う。うまかー。楽しかー。

さっきの〝海苔つく混ぜゴハン〟に海苔を巻いて食べるというテもある。これはこれで、また別の味になる。

……。

ゴールまであと十数メートルなのに、足がもつれて前へ進まない。

エート、やはり桃屋の製品で、「お父さんがんばって！」というのがありますね。すばらしいネーミングだと思う。海苔の佃煮というもののありようを的確に言い当てている。

しかし「お父さんがんばって！」があって、なぜ「おかあさんがんばって」がないのか。

海苔の佃煮一ビンの消費量は、長い目でみれば絶対におかあさんのほうが多いと思うのだが……。

と、おとうさんは、なんとかがんばってゴールにたどりつきました。ヤレヤレ。

目刺しの出世

目刺しについては、多くの検討すべき問題があるが、とりあえず「四匹問題」あたりから入っていきたいと思う。

目刺しはなぜ一連四匹なのか。

さあ、答えてください。

目刺しはスーパーさんで買っても、デパートさんで買っても一連四匹。

大体あれでしょ、物の単位というものは、5とか10とか、あるいはダースの概念を導入して6とか12とか、そういうことになるのが常識でしょ。

それがなぜか、はんぱな四匹。

「それはですね、一人が一回の食事に食べる量がちょうど四匹。そういうことじゃないですか」

スーパーで、自分のカゴの中のものを
人に見られたくないもの"御三家"
■モヤシ
■ブタコマ
■メザシ

というあたりが一般的な解答になると思う。そんな。一人四匹なんて、一体誰が決めたのか。全日本目刺し連盟が決めたのか。

ぼくの意見はこうです。

お皿の上に一連四匹の焼いた目刺しがのって出てきますね。そうすると、なぜかよくわからないが、

（ああ、この目刺しはオレのものだ。この目刺しは誰にもやんないんだかんな。一匹だってやんないんだかんな）

という激しい所有欲のようなものが湧いてくる。

しかも切迫感をもって湧いて

くる。

四匹という数字がそうさせるのだ。

もし一連が五匹だったら……。

五匹だと、仮に隣の人に、

「一匹ください」

と言われた場合、(ま、一匹ぐらいいいか)という気持ちになる。

そうして一匹、その人にあげてしまう。だが四匹の場合はどうか。

隣の人に、一匹ください、と言われても、

「いえ、あげませんっ」

と力強く、はっきり断ることができる。四匹というギリギリの数がそう言わせるのだ。

そしてまた、一連が四匹だったら、隣の人も、一匹ください、とはなかなか言いづらいものなのだ。

四匹というギリギリの数字が言いづらくさせているのだ。

つまり、隣の人に「一匹ください」と言いづらくさせるために、一連四匹という数字が案出されたというわけなのだ。

どうです、これですっきりしたでしょう。

なに、すっきりしない？　それは困った。

しかし今回は、目刺しに関しての諸問題が山積しているので次に移ろう。

「あなたは目刺しを外で食べたことがありますか」

つまり外食で目刺しを食べたことがありますか。ないでしょう。

鰯《いわし》の塩焼きなら外で食べたことがあるが、同類の目刺しはない。清貧の殿堂、定食屋でも、アジの開き定食はあるが目刺し定食はまずない。社員食堂でもお目にかからないし、縄のれんでもなかなかお目にかかれない。それはなぜか。それは目刺しが、清貧界の巨匠であるからだ。目刺しは安い。一連百円。一匹二十五円。

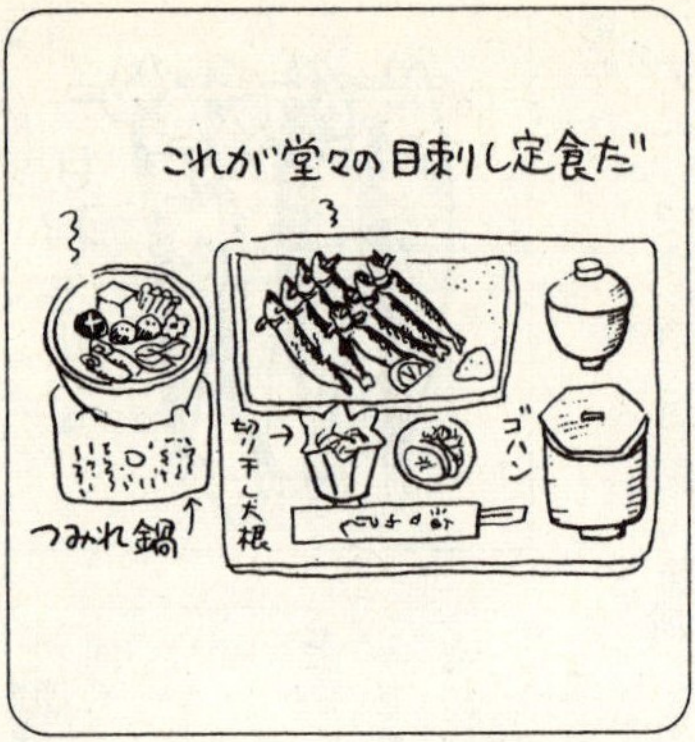

目刺しは骨ごと食べるからカルシウムは摂れるし、いまはやりのEPAやDHAの宝庫でもあるのに、値段が安いというだけで清貧の王にさせられてしまった。

値段の問題ばかりでなく、見た目も哀れだ。見ていてつらい。

四匹並んで竹串で目を刺されてぶらさがっている。こんなつらい光景はめったにお目にかかれない。

「何が因果でこんなことに」

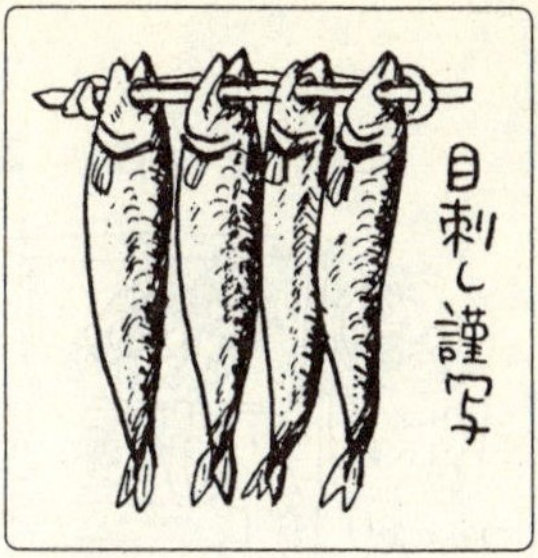

と同情を禁じえないし、

「何もこうまでしなくても」

という思いもするし、

「もっと穏便な方法はなかったのか」

という気持ちにもなる。

みじめ系あわれ類なさけな科に属するという点も、飲食店に嫌われる理由だ。

そういうわけで、清貧の殿堂、定食屋のメニューにさえ登場しない。

のに、ですよ、もし、「目刺し定食一〇〇〇円」という店があったらどうします。

恐る恐る申しあげるのだが、実はあるんです。

中央区日本橋茅場町の「海女小屋」という「いわし会席料理」の店のメニューに「めざし焼き定食　一〇〇〇円」がある。みじめ系あわれ類なさけな科が、千円という値段を身にまとって登場するのだ。なさけな科ーが、そりゃ高科ーに変身するのだ。

むろん目刺しだけで千円にもっていくのは容易なことではない。

まず目刺しが二連つく。二連八匹。すごく豊かな気分になる。

「一匹ください」と隣の人に言われたら、「何匹でも持っていきなさい」という大きな気持ちになる。

目刺しのほかに、「つみれ鍋」がつく。つみれ鍋のためのコンロもつく。コンロのための固形燃料もつく。

「切り干し大根の煮たの」もつく。

それに、ここのゴハンがとびきりおいしい。お新香も味噌汁もつく。

この店は、店の中に大きな水槽もしつらえてある高級店で、昼食時の客は〝部長級以上〟という感じの人ばかりだ。そういう客たちが、ほとんど全員、目刺し定食を食べている。

〝部長級以上の人々〟は〝コレステロールの人々〟でもあるわけで、〝コレステの人々〟は〝EPA&DHA愛好の人々〟でもあるわけなのだ。

ただ一人、目刺し定食ではなく、「いわし焼き定食」を食べている人がいた。この店の鰯は踊り串を打って焼いてある。他の店では、鰯はまず踊り串を打ってもらえない。そういう階級の魚なのだ。生まれて初めて踊り串を打ってもらった鰯は、〝身をくねらせて〟喜んでいる様子だった。

望郷のニシンそば

ニシンそばというものが気になっておった。相当気になっておった。

そのうち機会があったら食べてみたい、とか、そういう気になり方ではない。

なんかこう、うさんくさい奴だ、どうもなんだか気にくわん奴だ、とか、そういう気になり方だったわけだ。

ま、そのうち機会があったらいじめてやろう、難くせの一つもつけてやろう、そう思っておったわけだ。

しかし相手は、色黒々として、ひとくせも、ふたくせもありそうな手強そうな奴だから、十分心してかからねばならない。

だいたい、みなさん、ニシンそば食べたことありますか？ ないでしょうが。

むろん、ニシンそばというものがあるということは知っておる。見かけたこともある。

しかし、注文して食べてみようと思ったことはない。

ま、京都なんかに行ったときにですね、京都名物棒ダラ、京都名物ニシンそば、なんてことで一度食ってみっぺか、なんてことになって食べたことはある。

しかし両方、あんまり印象に残らない。うまかったような、まずかったような……。

生のニシンのほうは、ときどき居酒屋チェーンなどで食べたことはあるが、カチカチに干して戻した身欠きニシンのほうは、あんまり食べたことないんじゃないですか。

正月料理かなんかで、昆布巻きをかじると、中にヘンに硬くて苦いものがあって、ナンダコレハ、なんて少し怒って、ま、いいか、なんて思って許してやった奴、あれが身欠きニシンというものであります。

わたしら、越後の生まれでありますので、子供のころは、乾物屋に山のように積んであって、これを少し火であぶって、おやつ代わりにかじったりしたものだが、そばの上にのっけて食ったことは一度もないっ。断じてないっ。

だいたいネ、京都なんてところはネ、気どっておってだネ、棒ダラにしろニシンそばにしろ、あんなコケおどしのものを考えてだネ、高いカネ取ろうという魂胆がけしからん。

そんなわけで、わたくしは、ニシンそばというものと対決すべく、とりあえず吉祥寺は東急デパートの八階にあります「まつや」に出かけて行ったのであります。ここは神田の老舗「まつや」の支店であります。

ニシンそば、ありました。八五〇円。

この店は、きつね六〇〇円、かも南七五〇円という店でありますから、ニシンそばは、それよりはるか上位に位置するわけであります。

そば屋のつまみの常連、板わさ、卵焼きと並んで、にしん棒煮、というものもある。

どうもなんだか、この店ではニシンが幅をきかせておる。

いじめてやろう、と思ってやってきたのに、どうもなんだか返り討ちにあいそうな気もする。

やってきましたニシンそばが。

わたくしは、生まれて初めて、まじまじとニシンそばというものを見たわけでありますが、丼の幅いっぱいに大きなニシンが横たわっていて、ニシンのまん中へんに、幅三センチほどのそばが掛け渡してある。

じゃまだー
出てけー
と
身欠きニシンを叱る
ヤマザキ君であった

これがどうもなんだか気にかかる。

そういえば、なんかの雑誌のそば特集で見かけたニシンそばは、みなこのようにそばが掛け渡してあった。

それにですね、ニシンそばというものは、丼の中でニシンがあまりに堂々としすぎておる。違和感がある。

マーコノー、なじんでおらんのですな、ニシンがそば全体と。

たとえば天ぷらそばの場合は、エビの天ぷらがそ

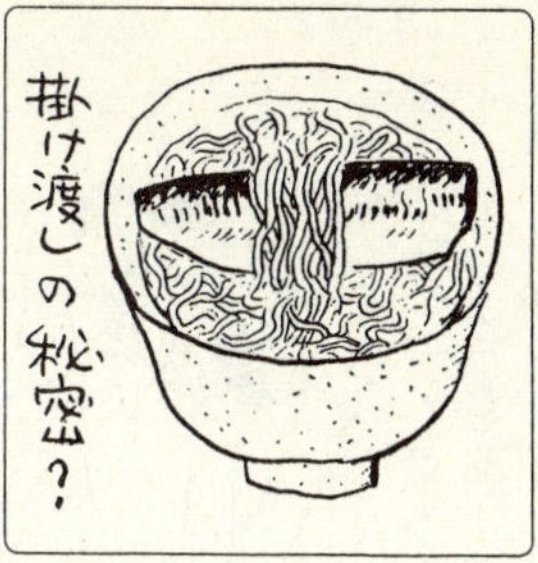

ばとツユによくなじんでおる。任地によくなじんでいる。

エビ天のコロモのスソのほうが、ツユにひたって温かそうで、ツユとそばがエビ天を歓迎している気持ちがこちらにも伝わってくる。

エビ天側にも、任地となじもうという気持ちがある。だから、丼全体がなごやかなんですね。

それにくらべてニシンそばのほうは、ニシンが出向先とうまくいってない雰囲気がある。どうも丼の中の空気が冷たい。

そしてくらい。

ニシンのほうも、出向先とうまくやっていこうという気持ちがない。

少しも大物じゃないのに、自分は大物だと思っている。

そこにいろいろと問題があるわけですな。

自分はこんなところに出向する器《うつわ》じゃない、というのがどうしても態度に出ている。

出向先のほうも、みんなでいじめて追い返した、ということになるのはあとあとまずいので、一応、ひきとめるというカタチを取りたい。

それが、ニシンのまん中に掛け渡した三センチ幅のそばである。

こう見たわけですな、わたしは。

引き返そうとするニシンに、二、三人のそばがおおいかぶさって引きとめている。形式的にそういうカタチをとっておく。

で、まー、味のほうはどうかというと、身欠きニシンのほうはそれなりに旨いですな。思っていたよりはるかに旨い。そして懐かしい味だ。

いったん陽に干した味がちゃんとあって、身がメリメリとはがれる感じは、枯れ木を水で戻して甘からく煮たような歯ざわりがあり、嚙みしめると少しほろ苦く、少ししぶく、あー懐かしー、あーこれが越後の味だ、少年時代の故郷の味だ、ぶっちゃけた話が、日本が貧乏だった時代の味だ、刎頸《ふんけい》の友オサノ君と、オールドパー飲みながらこの味について語りあいたい、そう思ったわけなのであります。

地ビール元年

このところビールの世界がさわがしい。地ビール、地ビール、とさわがしい。酒税法の改正による規制緩和で、地ビールが造りやすくなり、全国各地で地ビール製造の動きが活発になった。そしてことし、地ビールの第一弾があちこちで登場し始めた。新潟県の「エチゴビール」、東京の「東京地ビール」、北海道の「オホーツクビール」などなど。

そのうちの「東京地ビール」が、この三月一日、墨田区吾妻橋のたもとにあるビールパブ「ブルーワリーパブすみだ川」で発売開始となった。

地ビールとはいっても、「東京地ビール」はアサヒビールの子会社によるものなのだそうだ。

いずれにしても、一九九五年は、まさに日本の地ビール元年となりそうだ。それにし

ても、地ビールは、これまでのマスプロビールとはたして味がちがうのか。
われわれ消費者は、これまで大手メーカーによる〝画期的な新製法による画期的な新製品〟を、手を変え品を変え飲まされ続けてきた。
そして、ビールメーカーの言う〝画期的〟とは、〝いままでどおりの〟という言葉と同義語であることを、身をもって知らされ続けてきた。
にもかかわらず、次の画期的な新製品が新発売されるとイソイソと買い求め、イソイソと飲み、

「どこがいままでのとちがうんだーッ」

と、テーブルを激しくたたくことになるのだった。

こんどの地ビールはどうなのか。

もし同じ味だったら許さんけんね、首しめるけんね、と、激しく憤りながら「パブすみだ川」に駆けつけたのであった。座席六十二。小ぢんまりしたビアホールである。

客席を取り囲むようにして、仕込釜、煮沸釜、赤銅色の麦汁冷却発酵釜など、小型ながらも本格的な醸造設備一式が並んでいる。

こういう一式に囲まれて飲むビールは一層うまい。ドイツ近郊などの、店で造った地ビールを飲ませるパブをふと思い出させる。(行ったことないが)

地ビールは二種類ある。

■吾妻橋(デュッセルドルフ地方で飲まれている赤銅色の力強いビールです)

■リバーピア(大聖堂で有名なケルンで愛飲されている淡色でキレのよいビールです)——パンフレットより——

デュッセルドルフたら大聖堂たらのゴタクはともかく、ほんとにいままでのビールと味がちがうのか、ちがわないのか。

値段は両者とも中ジョッキ七八〇円。両方たのんで飲み比べている人が多い。

ウーム、吾妻橋はたしかに色が濃い。黒ビールともちがう赤味をおびた銅色。リバーピアのほうは、ふつうのビールよりやや色濃く、ややグリーン味をおびている。

さあ、どっちからいってみるか。

あ、それからおつまみのほうは、枝豆、焼鳥のありきたりものから、牛モツとニンニクの芽いため、ドイツ風豚角煮のチーズ焼き、などという、魅力的なものまである。

では、いってみましょう。

あ、それからですね、この日は地ビール新発売ということで、テレビが取材に来てました。六時半から取材開始ということで、テレビのクルーが入口のところでスタンバイし、満員の客は六時半が待ちどおしい。

特に奥のほうに陣取った、まっ赤な顔のおとうさんの六人グループは、六時半になったら何が何でもテレビに映るんだ、という意気込みをあらわにしている。ワザとらしい乾杯、ワザとらしいVサイン、ワザとらしく肩をたたきあい、全身で「テレビ、さあ来い」「来てくれ」というサインをしきりに送っている。結局、このおとうさんたちは、テレビのクルーに無視されたのだけれど、相手に興味を持たれるにはどうすればよかったのか。

たとえば女の人なら、胸ぐりを大きく開けて谷間を見せるとか、太ももをちらつかせるとか、ウインクを送るとか、いくらでも方法がある。

悲しいかな、おとうさんたちにはそういう決め手が何もない。ああしてさわぐよりほかなかったのだ、というところが悲しい。

エート、では、吾妻橋のほうからいってみましょう。

あ、その前に、枝豆を二粒ほど食べさせてくださいね。しょっぱい枝豆を食べたあとのほうが、ビールが一層おいしく感じられる。

ハイ、枝豆二粒食べました。

では、いよいよいきます。

あ、それからですね、え？　いいかげんにしろ？　首しめる？

ゴク、ゴク、ゴク。

申しあげます。

日本のビールメーカーにも良心はありました。

いままでのビールとはっきり味がちがいます。

まず味が濃い。黒ビール風の濃さではなく、青味をおびた焦げくささ、というんでしょうか。青草の草原を駆けぬける風の匂い、とでもいうんでしょうか。フルーティな部分もあり、ハーブ系の香りのような部分もあり、かすかにスモーキーで、かすかな乳酸菌風味も感じられる。ベルギーのランビック系の味わいもある。

一方、リバーピアのほうは、これら吾妻橋の特徴をひととおり弱めにし、スッキリ、クッキリ、爽快系を加味した、というような味でありました。

とにもかくにも地ビール元年。

こんどこそ、〝どれを飲んでも同じ〟、という時代から、〝どれもこれもみんなちがう〟という時代がようやくやって来る予感が少ししました。

スーパーの恥ずかしもの

この連載の前々々回のイラストで、「スーパーで、自分のカゴの中のものを人に見られたくないもの〝御三家〟」として、モヤシ、ブタコマ、メザシを挙げたところ、「もう一つぜひ加えて欲しいものがある」というお手紙を、世田谷区のSさんという男性の方からいただいた。「ぜひ、ネギを加えて欲しい」というのである。

うーむ、なるほど。

モヤシ、ブタコマ、メザシ、それにネギが加わって、「人に見られたくないもの御三家」は、急に昇格して「四天王」となった。強力な軍団となった。

確かにネギは人に見られたくない。

しかしネギは、スーパーの中より、むしろ〝帰宅途中の路上を歩行中〟に人に見られ

たくないもののほうに数えたい。

ネギはスーパーの袋から突き出る。だからどうしても目立つ。お手紙をくださったSさんも「歩いている横にベンツなんか来るともうダメ！」と書いておられる。その気持ち、よーくわかる。ネギとベンツでは勝負にならない。

〝スーパーからの帰宅途中恥ずかしもの〟は、ネギのほかにもたくさんある。ダイコン、セロリ、ゴボウなどがそうだ。いずれも袋から突き出る。ネギはこちらでも、四天王の一人として高い評価を受けているのだ。

しかし、この四天王の中で、

ゴボウは突き出ていてもそれほど恥ずかしくない。セロリもそれほど恥ずかしくない。セロリなんかは、「サラダ好きのしゃれたおじさんなのね」という評価を受けるような気がして、誇らしくさえ思うほどだ。

ネギとダイコンは恥ずかしい。

ネギとダイコンではどちらがよけい恥ずかしいか。うーむ、これはなかなかむずかしい問題だ。

ダイコンは、逆さに袋に入れれば、白いからそれほど目立たない。ネギは青々と目立つ。それにネギはベンツに弱い。そうなると、四天王の中で一番恥ずかしいものはネギということになる。王の中の王、キングオブキングスということになる。

〝輝け！ スーパーの袋から突き出る恥ずかしもの第一位〟はネギと決まった。(輝け！ というほどのものか)

ネギはなぜ恥ずかしいのか。

ネギをスーパーの袋から突き出させて歩いているおじさんは、たとえどんなにエライおじさんでも、他の部分は一切評価されず、〝単なるネギのおじさん〟と見られてしまう。

ネギ以外には評価し得るものは何もない〝ネギのおじさん〟になってしまう。そこのところを恐れるのだ。

むろんネギは、スーパーのレジのところで申請すれば半分に切ってくれる。しかしそうなると、レジで行列している人々に、〝ネギを恥ずかしがるおじさん〟とみられてしまう。

どっちにころんでも〝おじさんとネギ〟は切ない関係にあるのだ。

スーパーの店内に話を戻すと、お米もけっこう見られたくない物の一つに数えられますね。

お米は量が増えるほど恥ずかしい。一キロぐらいなら、レジの行列の人も「まあまあね」と見逃してくれる。三キロとか五キロになると注目する。

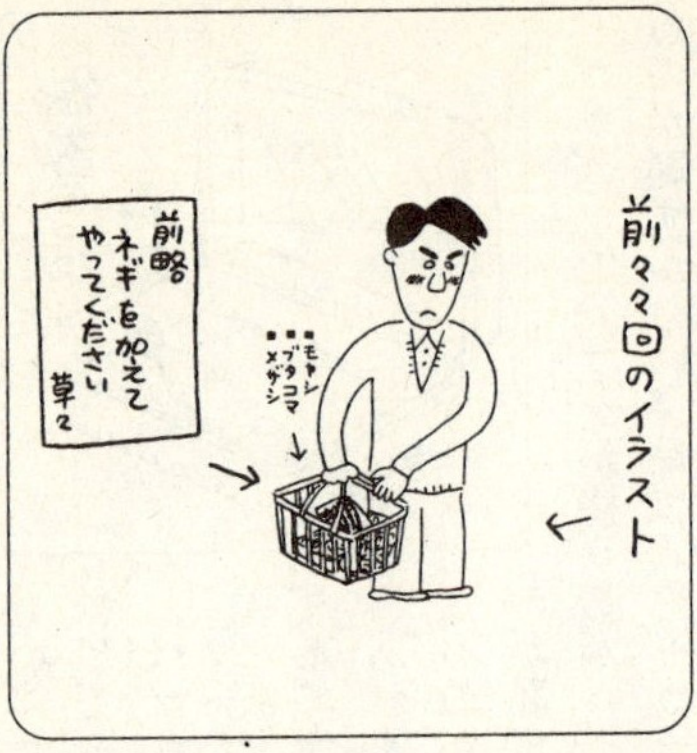
前々々回のイラスト
前略
ネギを加えて
やってください
草々
■モヤシ
■ブタコマ
■メザシ

「大メシ食いの男なのかしら」とか、「米ばっかり食べてる人なんだわ」とかの評価を受けてしまう。

それから「揚げものコーナー」っていうんですか、あそこもなぜか恥ずかしい。コロッケとかアジのフライとかエビの天ぷらなどが並んでいて、一つずつトングではさんで、自分でビニール袋などに詰めるわけだが、エート、どれにしようかと考えて、考えが決まってトングを取りあげるところがまず恥ずかしい。エビの天ぷらなどを、ビニールの袋にポットンと落とすところが恥ずかしい。

パッカン方式のプラスチック容器に詰めるところでは、中身を詰めて、輪ゴムをかけるところが恥ずかしい。パッチン、なんて大きな音がするととても恥ずかしい。

あれもこれもたくさん詰めて、パッカン容器がゴツゴツになるのが恥ずかしい。中身が盛りあがって、フタができないのが恥ずかしい。

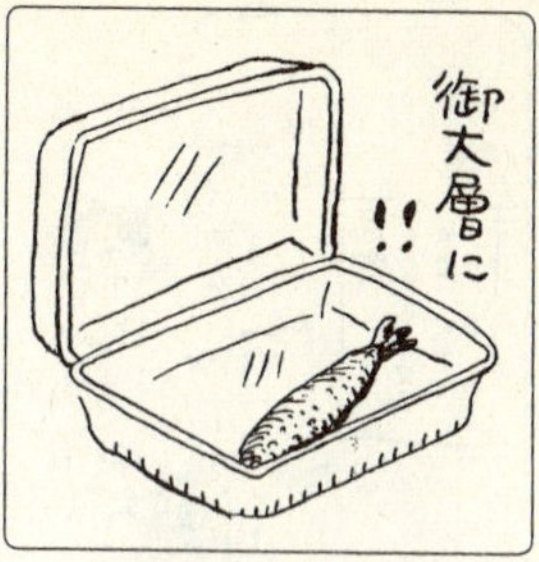

ゴツゴツで、フタが盛りあがって、輪ゴムがうまくかからず、ツルリとすべって落ちるのが恥ずかしい。輪ゴムをもう一個取るのが恥ずかしい。
反対に、少なすぎるのも恥ずかしい。大きめのパッカン容器に、エビの天ぷら一本、というのが恥ずかしい。
「たかがエビの天ぷら一本を、御大層に」と思われるのが恥ずかしいし、「そんなにスキマがあるんだから、コロッケの一つも入れたら」と思われるのが恥ずかしい。(誰も思わないって)
どうもあのコーナーでは、なぜかあせってしまって、一刻も早くここを立ち去らねば、と思ってしまう。

揚げもののたぐいは、レジのところでもう一度恥ずかしい。

レジの人が、ためつ、すがめつ「これはコロッケかメンチか」と判断に苦しみ、あげく、

「コロッケ二つにメンチ二つですよね」と確認され、

「いえ、メンチが三つでコロッケは一つです」などと、人々の前で訂正するのが恥ずかしい。

大体、レジの行列の人々はヒマだから、見ないフリして人の買い物を見ている。

おばさんはおばさんに厳しい。

ゆで麺を六袋買ったおばさんは、おばさんから、

「うどんは自分で茹でたほうがおいしいのにネ」とか、

「まあ、六袋も」とか、

「一人でいくつ食べるつもりかしら」

などの、無言の厳しい評価を受ける。

懐かしき味噌おにぎり

テレビで古い映画を見ていたら、小さな子供が味噌で焼いたおにぎりを頬ばっていた。いやあ、懐かしいのなんのって……。

味噌焼きおにぎりのことはすっかり忘れていたが、それを見たとたん、味噌焼きおにぎりにまつわるもろもろのことをいっぺんに思い出した。

味噌焼きおにぎりは、ぼくの子供のころの食生活を象徴するような存在だった。ぼくの子供時代の原風景の一つといってもいい。

子供時代のわが家の台所の光景が、たちまちのうちに思い出される。

台所の片隅にいつも置いてあった梅干しの入った茶色いカメ。水道の蛇口にくくりつけられていた白い布の袋。台所のあがりがまちに置いてある縫い目のはっきりした雑巾。外で遊んで帰ってくると、この雑巾で必ず足の裏を拭くことになっていた。いいかげ

んに形式的に拭くと、必ずやり直しを命ぜられたものだった。

昔はジャーというものがなかった。それジャー余ったゴハンはどうしたかというと、とりあえずおにぎりにした。

一つは塩むすびだ。お釜の底の、少し焦げ目のついたゴハンを、母親が手に塩をつけて握ってくれる。おにぎりを握るときの、母親の濡れた手のひらを、なぜかいまでもはっきり覚えている。

もう一つが味噌をまぶして焼いた味噌おにぎり。ところどころ黒く焦げた焼きたてを、手で持って立ったままアフアフと食べたものだった。

そう。この味噌おにぎりも、塩おにぎりも、立ったまま食べるのが決まりだった。味噌の焦げた匂いが香ばしく、表面はカリカリに乾いていて、そこを噛みくずすと中からホグホグに熱い湯気が立ちのぼるのだった。

醬油で焼いたおにぎりは、冷凍物で売っているが味噌のおにぎりはない。いまどき商品のない食べ物はめずらしい。味噌おにぎりはどこにも売ってない。商品としてないのだ。いまどき商品のない食べ物はめずらしい。つまり味噌おにぎりは、自分で作って食べるしかないのだ。

エート、どうやって作るんだっけ。

ジャーのゴハンを茶わんに取り、手を水で濡らしておにぎりを握り、それに味噌をまぶしてガスコンロの上の金網で焼いてみた。

みなさん。味噌焼きおにぎりをあなどってはいけません。いまぼくがやった方法では必ず失敗します。

おにぎりが金網にくっつくし、それをはがそうとするとその部分が大きくはがれるし、全体を持ちあげようとするとグズグズと崩壊する。

それから試行錯誤すること一カ月。いまでは、おにぎり士一級、あるいはおにぎり初段ともいえる腕前になった。その秘法をここに公開しましょう。

《アチーの秘法》

ゴハンは熱くなければならぬ。ゴハンは冷めると粘着力を失う。必ず熱いうちに、あるいはレンジでチンしてから用いる。手のひらを十分に濡らし、ここに熱いゴハンをのせると、十人が十人「アチー」と言う。

《オッチメの秘法》

ゴハンはかなり強くオッチメル。オッチメルは栃木県地方の方言で、「押し詰める」の意だ。おにぎりを焼く場合は、かなり強くオッチメないと崩壊する。手のひらで、上からの加圧、横からの加圧を十分に行う。

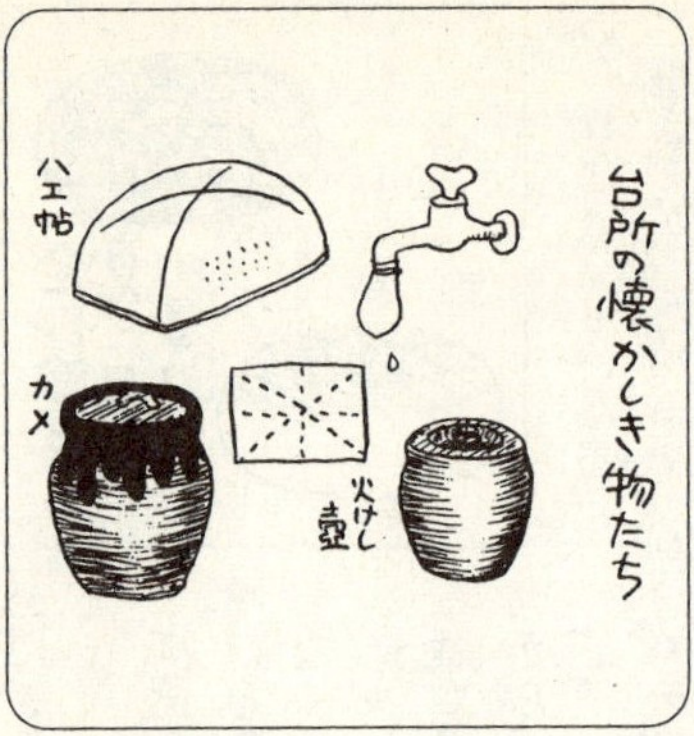

《チンコイの秘法》

チンコイも栃木県の方言で「小さい」の意だ。焼きおにぎりは大きいと火がなかなか通らない。なるべく平べったく、なるべくチンコイのがいい。

さて、十分オッチメて、チンコイおにぎりができあがった。

まずガス火の上で、金網を一分以上カラ焼きする。金網の温度が低いとおにぎりがくっつく。金網をカラ焼きしたら火は弱火。この上にチンコイおにぎりをのせてとりあえず素焼きする。片側二〜三分ずつ。

おにぎりを火にのせたら、ひっくり返すまで絶対にさわってはならぬ。

両側を二〜三分ずつ焼いたら、上下に味噌を指で塗る。味噌は意外に塩気があるのでなるべく控え目に。横の部分は塗らなくていい。そのほうが見た目がかわいい。

塗ったら、また片側二〜三分ずつ焼く。味噌がところどころ黒く焦げるぐらいまで焼いたらできあがり。焼いているうちから、味噌の焦げる香ばしい匂いがして、いても立ってもいられないくらいだ。

焼きあがった熱いやつを、アチアチと言いながら、手から手に移しながら、ころあいをみて頬ばる。

こういうものを頬ばるとき、必ず目が上目づかいになり、必ず首が左右どちらかに少し傾く。

そうです。それが味噌焼きおにぎりの正しい食べ方なのです。

それにしても、焦げた味噌ってなんておいしいんでしょう。

香ばしい、という言葉の語源は、実は味噌の焦げる匂いにあったのだ、と思うくらいいい匂いだ。

味噌はいつも水（湯）の中に入れて用いられ、直接焼かれることはめったにない。しかし、味噌の本領は焼かれることによってこそ発揮されるのではないか。清少納言も「枕草子」の中で、味噌の味は「焦がされてこそ」と言っています。（ウソです）

味噌焼きおにぎりは、味噌がジカに舌にあたってしょっぱい。そのしょっぱさをゴハンが急いで打ち消し、急いでうち消したところに味噌が再び急いで顔を出す。

ビールに合います。

味噌をまぶすとき、コチュジャンを混ぜると更にビールに合う。

更にすりおろしたニンニクを混ぜると更にビールに合います。

ステーキのくやしさ

正直に白状します。

ステーキを食べました。

許してください。

しかも一万円もするテンダーロインステーキです。いつだったか、この連載で一万円の松阪牛のステーキを食べたときも、読者の方々から散々怒られたので、最初に謝っておきます。

でも食べちゃったもんね。

場所は「紅花」。ロッキー青木という人が、アメリカで成功を収め、日本にも進出してきたステーキ専門の店。

料理人がパフォーマンスを演じながら、客の目の前でステーキを焼くので有名になっ

た店だ。

「紅花」のステーキのコースは三千五百円からあるのだが、そのうちの一万二千円コースというのを食べました。

怒らないでください。

でも食べちゃったもんね。

まず前菜として焼鳥が三本、それから野菜サラダ、有頭海老岩塩焼き、活き帆立て、テンダーロイン（一八〇グラム）、ライス、デザート、という式次第となっている。

店の造りは、障子などもある民芸風のシブイ造りで、カウンターではなく畳一枚ほどもある大鉄板のテーブルの三辺を客が囲み、その一辺で料理人が肉などを焼く。

料理人はガンベルト風の包丁入れを腰につけていてカッコいい。ひとつ焼き終わると、包丁を西部劇風にクルリと回してストッとサヤに収める。

まず焼鳥。ナンコツ一本とササミ二本。つづいて「有頭海老」を岩塩を敷いた上で焼く。しかしこの「有頭」という言い方、無頭をバカにしているようで気に入らないな。

鉄板の上で焼いたものは、「三杯酢ソース」「しょうがソース」「マスタードソース」のいずれかでいただく。

帆立てが焼かれ、ピーマンなどの野菜が焼かれ、ああ、ついに、テンダーロイン様が登場した。

肉の塊というものは、わけもなく人を感動させる。

葉書よりひとまわり小さめのその肉塊は、総面積八千八百平方ミリメートル（推定）、標高四十三ミリメートル。

絶海の孤島の、切りたった絶壁のような切断面が美しい。

肉の厚さというものも、わけもなく人を感動させる。

青少年を見ると、人は「青少年よすこやかであれ」と願うように、肉を見ると、人は「肉よ厚くあれ」と願う。

その厚い肉が、いまここに料理人によって提示された。

「あなた様のこの肉をいまから焼きます」というふうに提示された。

いけす料理の店だと、いけすからヒラメなどをすくいあげ、「これを調理します」と客に提示するが、あれと同じ儀式のようだ。

本来ならば、牛本人を連れてきて、「これを焼きます」というのがスジなのだが、それはムリなので部分を提示したのだ。

わたしの肉が、いま鉄板の上に置かれた。

わたしの肉が、いま焼かれている。

わたしの肉が、いま裏返された。

海老や帆立てのときは感じなかった〝わたしのもの〟という所有感が強く感じられる。

わたしは、わたしの肉を、いまこうして料理人に焼かせている。

〝肉のオーナー〟という意識が強く感じられる。

わたしの肉は、いまジュージューと音をたてて焼かれている。鉄板との接地面からは、ピチピチと小さな脂が飛びはねている。

伊豆の大島型の肉の先端の白い脂肪の部分も、い

まは透明に変わった。

と、そのとき、料理人は、いきなりわが肉を切り刻み始めたのである。

なんということをするのか。

オーナーに一言の断りもなく、勝手にそんなことをしていいのか。

大家に断りなく部屋を改造するのは禁じられているはずだ。肉の所有者は明らかにわたしで、彼はその管理、運営、及び調理を任されているに過ぎない。

彼は、目の前にいるオーナーの存在を無視したのだ。ひと言、「これからこの肉を切り刻みますがよろしいでしょうか」と相談するのが礼儀というものではないのか。

それだけではない。続いて行った彼の行為に、オーナーは地団駄踏んでくやしがった。

彼は、大島型の先端の脂肪の部分を、包丁で切り離し、それをクズ入れにポイと投げ入れてしまったのである。

なんということをするのか。切り離した脂身の処遇について、ひと言オーナーに相談すべきではなかったのか。

脂身の部分は、総面積八千八百平方ミリメートルの、およそ三パーセントを占めてい肉の値段は、コース一万二千円から推定すると、およそ一万円に相当するものと思われる。一万円の三パーセントは三百円に相当する。

すなわち彼は、オーナーに三百円の損害を与えたのだ。

オーナーは、あの脂身を捨てたくなかった。ようく焼いて、お醤油かけて食べたかった。

オーナーに無断で三百円の損害を与えたこの行為は、商法上の特別背任、あるいは有限会社法第九章第七八条「会社財産を危くする罪」に該当するのではないか。

勝手に切り刻まれたり、切り捨てられたりして、ぼくはもうくやしくてくやしくて、しまいには、

「オレの肉を勝手にいじるな」

と、思わず涙声で叫びそうになった。

しかし、この料理人は、トシは若いが黒ぶち眼鏡をかけたとても真面目そうな人で、焼きあがった肉は火加減も味も、まことにすばらしいものでありました。

レバーフライの真実

レバーフライというものがあることは、数年前から知っていた。

豚や牛のレバーにパン粉をまぶして油で揚げたもので、言ってみればレバーカツのようなものだ。

しかしレバーフライは、スーパーでも見かけないし、街中の肉屋さんでも見たことがない。

いったいどこで売っているかというと、もんじゃ焼きで有名な中央区月島一帯で売っているという。

一帯といっても、お互いに歩いて数分という距離の、四軒の店だけで売っているという。

月島の一角に、レバーフライゾーンというものがあることになる。レバーフライは、

その一角だけに発生して、そこから発展していかないのである。

レバーフライは串に刺して揚げてあるという。というと、すぐ串カツ状のものを想像するがそうではない。油揚げ半分ぐらいの大きさの角状の一辺の端に串が刺さっていて、マラソンのとき道端で振る小旗のような形をしているという。

といったようなことを、実は「dancyu」というグルメ雑誌で知った。

フライ好きの血が騒ぐ。こうしちゃおれぬ、という気になった。

月島は東京駅から車で十数分。

東京駅周辺の高層ビル群地帯から、車でたった十数分であたりの家並みがどんどん低くなっていって、ついに木造二階建ての家だらけになる。

下町、という言葉がイキイキする一帯で、豆腐屋さん、畳屋さん、佃煮屋さんなどと並んで「元祖レバーフライひさご家」があった。「元祖ひさご家」は持ち帰り専門の店である。そして注文生産の店である。

「レバーフライ一つ」と注文すると、すぐに揚げてくれる。一つ百十円。

店の前には、近所のおばちゃん風、幼児と母親風、ふと立ち寄った近所のおじさん風、なぜか陰気な観光客風青年の二人づれ、などが群がっていて、揚げたてを店の前で立ったままかじったりしている。

〝店の前の路上でかじり食いアリ〟の店なのだ。陰気ではあるが観光の青年も来るということは、一応、月島名物としてある程度有名な存在となっていることを物語っている。

見ていると、一つ揚げてもらって食べてみたらとてもおいしかったので、「もう一つ」という客に対して、「ンモーッ。二つ食べるなら最初にそう言ってよ」という対応なしで「ハイ、ハイ、もう一本ね」と明るくニッコリ応えてくれる店なのだ。二人のオバチャンが明るく揚げてくれる。

レバーフライは揚げるとすぐ、ソースにジュッとくぐらせて渡してくれる。出窓のところにはカラシの容器が置いてあって、全面的に「店の前のかじり食いＯＫ」を表明しているのだ。

驚いたことに、レバーフライはパキッとしている。あのヘニャヘニャかつプンナプンナのレバーが、高温の油をくぐったとたんパキッとなる。

レバー自体の厚さは一ミリ、コロモが上下三ミリずつで計七ミリ。

ほとんどコロモとソースの味で、しばらくしてかすかにレバーの味がする。香ばしくて旨い。ほとんどレバーの味がしないというところが、駄菓子感覚で受けているのかもしれない。

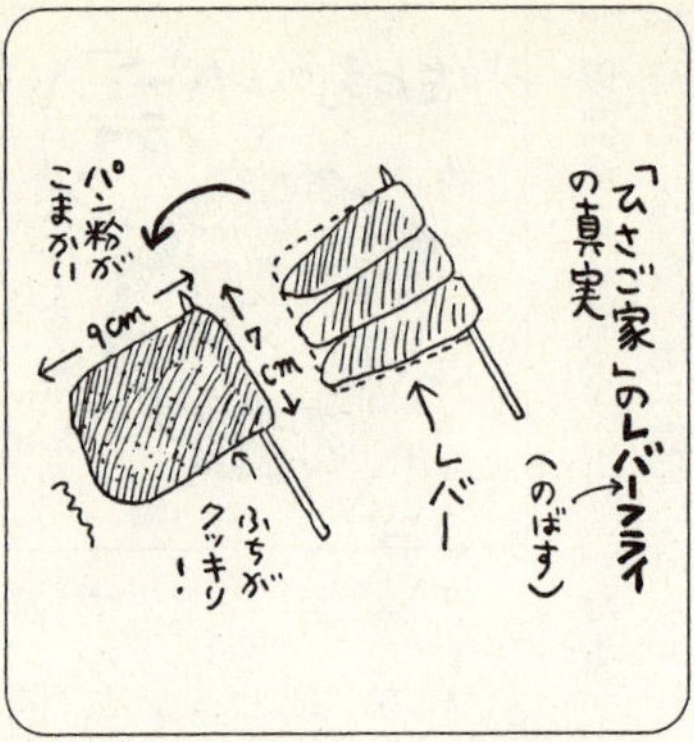

そういう立ち食いの客を相手の店なんだ、そうだったんだ、と思うととんでもない。
出窓のところには、「地方発送承ります」の看板がある。「電話注文承ります」の看板も並んでいる。
出窓のところには、すでに電話注文を受けて揚げた包みが山積みになっている。包みには、20個、30個の表示がしてある。確かに二、三本続けて食べられる軽い味だが、30個入りはどういう人が食べるのだろう。
「ひさご家」から歩いて六、七分のところにあるの

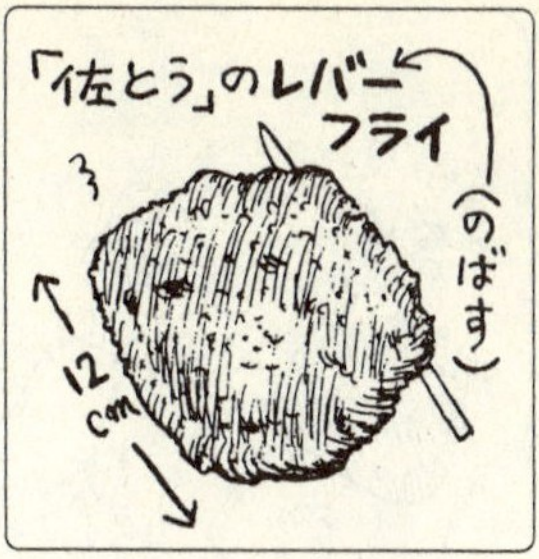

が、同じくレバーフライの店「佐とう」だ。この店は八人がすわれるカウンターがあって、どう見ても定食屋の造りの店だ。

カウンターの上のメニューには、「レバーフライ110円」「串かつ110円」「とんかつ400円」などと出ている。

となれば、客は当然、「エート、レバーフライと串かつにライス」と注文するわけだが、店主は、「ライスはないよ」とにべもない。「ビールもないよ」と、機先を制する。

以前テレビによく出ていたホテルオークラの総料理長兼重役の小野正吉氏そっくりの謹厳な面持ちの店主だ。

仕方なく、フライばかり食べる。定食屋に入ったら「ウチはゴハンやってないよ」と言われたようなものだ。

お茶はある。お茶で串かつ。お茶でレバーフライ。お茶でとんかつ。しみじみと情けない。

しかしフライ類はしみじみと旨い。

ここのレバーフライは、「ひさご家」より二回りほど大きく、三回りほど厚い。どう見ても駄菓子ではなく、堂々たるおかずだ。

だからよけいゴハンがないのがツライ。

身をきられるようにツライ。

ビールがないのが胸がはり裂けんばかりにツライ。

熱いお茶がウラメシイ。

〝小野さん〟は愛想はないが細かい気づかいがある。

ここのレバーフライも、串のところを手で持って食べるわけだが、手で持ってかじって皿に置いたとたん、「手ふきがテーブルの下に」と教えてくれる。

テーブルの下には「タウンページ」を六つ切りにしたものをヒモでとじてぶらさげてある。これをビリッと引き抜いて手を拭く。

しかし、この店の揚げたてのフライ物は、どれもこれもカリカリに揚がっていてコロモはあくまでかたく、中はジューシーで、これまでのフライ物の概念がくつがえるほど旨い。

それだけによけい、ゴハンがないのがウラメシイ。

あんかけ蕎麦再発見

お蕎麦屋さんのメニューを右はじから眺めていくと、まず「もり」「かけ」から始まって、「きつね」「たぬき」に至り、「鴨南」「月見」を経て「天ぷらそば」に行きつく。

客はその一つ一つを検討しながら、「何にするか」を決めるわけだが、そうしたメニューのちょうどまん中あたりに、〝検討されない一帯〟がある。〝無視される一角〟といってもいい。

その一帯とは、「かき玉」「おかめ」「玉子とじ」「あんかけ」の地帯だ。

小学校の先生が教壇の上からわがクラスの全員をざっと眺め、全員の存在を確認しながらも、ある一帯だけは、

「居ても居なくてもどうでもいい」

というふうに飛ばして見ていく、というのに似ているかもしれない。

「あんかけ」を
食べると
なぜか
優しい気持ちに
なりますよ

居るんだけども居ないも同然、というのが「かき玉」「おかめ」「玉子とじ」「あんかけ」グループだ。

ぼくも普段は、その一帯を無視しているのだが、その日に限って、ふと、まてよ、と目がとまってしまったんですね。

(「あんかけ」ってどんなものだっけ)

検討はそんなふうに始まった。

(エート、甘めのトロミのついたツユがかけてあって……)

それは確かなのだが、具はどんなものだったっけ……。

鶏肉が入っていたような気がする。

大きめに切ったネギが横たわっていたような気がする。

「あんかけ」は子供のころよく食べたものだった。

家で出前をとるとき、一家の中に必ず一人は「あんかけ」ファンがいた。

それは、たいてい子供だった。

甘くてトロリとしたツユが、子供の嗜好《しこう》に合っていたのかもしれない。

とにかく注文して確認してみよう。

「あんかけ」

と、ぼくは注文をとりにきた太めの白衣のおばさんに言った。

やってきた「あんかけ」はどんなものだったと思います?

まずカマボコ。そうか、カマボコだったか。それからタケノコ、しいたけの甘から煮、麩《ふ》、ほうれん草、ナルト。全部予想外のものばかりだ。

しかし、この店の「あんかけ」はこういう具だが、他の店の具はちがうかもしれない。

そう思って、翌日から「あんかけ探究の旅」が開始された。探究は、主に東京西部に限って行われた。西部のごく一部、西荻窪に限って行われた。調査を行った店は五軒だった。探究の旅はその五軒で打ち切られた。毎日毎日、「あんかけ」ばかり食べて「あんかけ」がつくづく嫌になった。

それに、どの店もどの店も、「あんかけ」の具の内容は判で押したように同じだったのである。カマボコ、タケノコ、しいたけ、麩、ほうれん草、ナルトは「おかめ」の具とまったく同じだ。つまり「おかめ」のツユにトロミをつけたものが「あんかけ」だったのだ。

そうだったのか。半世紀生きてきて、そんなことも知らなかったのだ。

これからは、このことをしっかりと記憶にとどめながら生きていくことにしよう。そのことが役立つ日が、きっといつかくるにちがいない。

でも、たまには「あんかけ」もいいもんですよ。

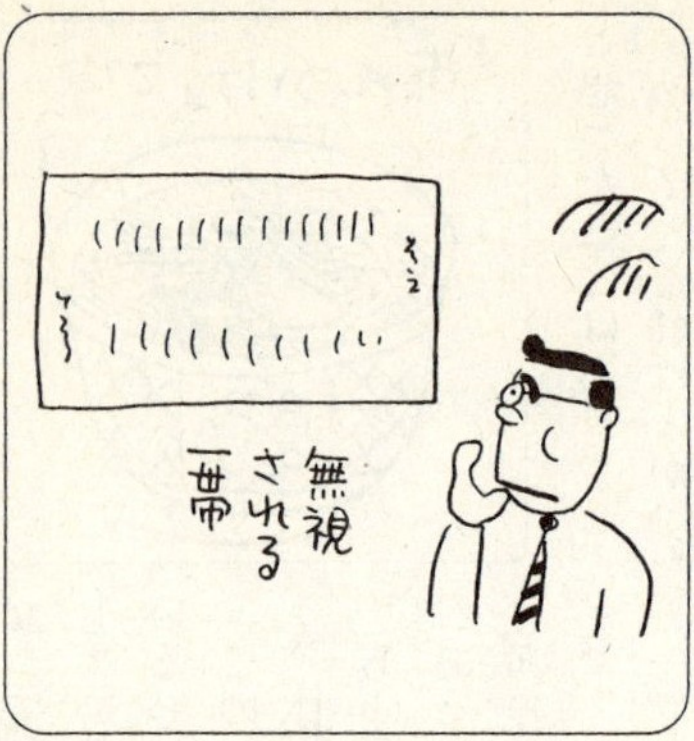

「あんかけ」はなぜかこう、心が安まる。まず丼から立ちのぼる、甘みのきいた蕎麦ツユの匂いがいい。トロミという潤滑油のからんだ蕎麦の、唇の通過感がいい。のどごしがいい。唇に優しく、のどに優しく、胃壁に優しい感じがする。

蕎麦のすすり方も、普通のツユのすすり方と少しちがう。「きつね」や「たぬき」は、やや戦闘的にズルズルッとするが、「あんかけ」の場合は優しくニョロニョローとする。

トロミのあるツユの中に蕎麦は、ひとかたまりに

なって、沈むがごとく、沈まざるがごとく、ツユの中に浮遊している。その蕎麦を箸で持ちあげると、トロミをまとっているせいでずっしりと重い。

このトロミのついた蕎麦ツユは、甘く、からく、うん、そう、甘からの串団子の茶色いタレ、あの味を思い出させる。

あの団子のタレをペロペロ舐《な》めたことありませんか。

ある？　それはよかった。

あのタレが、もっとたくさんかかっていればいいのにな、と思ったことはありませんか。

ある？　それはよかった。

あのタレだけを、思う存分舐めてみたいと思ったことはありませんか。

ない？　それは弱った。

でもぼくは、団子本体よりあのタレのほうが好きですね。本体にタレをかけてしゃぶり、またかけてはしゃぶる、ということを一度やってみたい。

「あんかけ」には、あのタレがツユ化したものが丼一杯入っているのだ。

そのツユ化したタレを、丼一杯ゴクゴク飲めるのだ。

どうです、羨ましいでしょう。なに羨ましくない？　それは弱った。

でも「あんかけ」を無心にすすっていると、童心にもどりますね。子供のころの、いろんな甘さの記憶が、次から次へとよみがえってくる。あ、それからこのことだけはぜひお伝えしておきたい。

それは、具の麩が実に旨いということです。

甘から醤油味のトロミをたっぷし含んだ麩から、噛みしめるたびにジュワジュワとその味がにじみ出てくる。麩の味を含んでにじみ出てくる。

普通のツユだと一気ににじみ出てくるが、トロミがついている分だけゆっくりジワリとにじみ出てくる。

このツユが旨い。

男も料理はするけれど

「男子厨房に入るを許さず」

というが、むろん、いまどき厨房に入ったことのない男子などいない。

玄関を入ったところがＤＫ、という構造のマンションの場合は、いちいち、「男子厨房を通過するのだけは許してね」と言い訳しながら通り抜けなければならない。

単身赴任のおとうさんも、厨房に入らずに生きてゆくことはできない。

ぼくも、単身赴任、というほどではないが、仕事場に泊まりこむ日がしばしばある。

超短期単身赴任、と言えないこともない。

そういうときは、いそいそとスーパーに出かけることになる。

男子の料理は誰でも自己流である。

基本がまるでできていない。料理の基本、というほどではないが、意外な盲点が野菜

類の洗い方だ。洗い方に自信が持てない。

ネギなんか一番自信が持てない。水道の水に当てながら、なんとなくなでたりさすったりしている。きゅうりも、自信なくなでたりさすったりしごいたりしている。

ほうれん草もむずかしい。ボールの中の水に突っこんで、自信なく揺すったりしている。

この〝自信なく〟というところが心理的にまいる。暗い気持ちになる。「これがほうれん草の正しい洗い方だ」というのがあればそれに正しく従って、明るい気持ちでほうれん草を洗えるのに……。しかし、ほうれん草を洗うたびに、いちいち心理的にまいって、暗くなっていたんじゃ、台所仕事はつとまらない。

キャベツやレタスは、スタートの時点で暗い気持ちになる。ずうっと以前に「キャベツやレタスは、一番表の一、二枚だけ洗えばいい」という記事を読んだような、読まなかったようなあいまいな記憶がある。だから、最初の一、二枚以降で大いに迷う。

全然洗わない、というのはなんだか心にひっかかるものがある。そこで、水道の水に、チラッと濡らしたりして、それでいいことにするのだが、これでもなんだか気まずい思いが残る。精神的によくない。

スーパーで困るのは、単位が大きい、ということだ。

ジャガイモ、玉ネギ、ニラ、モヤシの単位が大きい。ジャガイモと玉ネギは一個売りもあるが、ニラ、モヤシはそうはいかない。

ぼくはレバニラ炒めが好きでよく作るのだが、レバーもまたワンパックの単位が大きい。一回では使い切れない。レバー、ニラ、モヤシは、〝一回で使い切れないグループ〟の代表的な存在なのだ。

レバニラ炒めの材料は、すべてこのグループだ。しかも、レバーもニラもモヤシも、これまたいたみやすいものの代表的存在だ。いたみやすくて、いたんだときの匂いがすごい。匂いのすごい代表的存在でもあるのだ。

ぼくはそこに、レバニラ炒めというものの持つ運命的なものに思いを至さざるをえない。

たった一人の食事は、どうしてもピッチが早くなる。人と談笑しながら食事しているときの五倍は早い。

食べ始めると同時に、たえまなく箸を使い、たえまなく口を動かし、たえまなくビールを流しこむ。

特におなかがすいているときは勢いこんで食べ始め、三分もたつともうおなかが一杯になる。つくづくむなしい。

一人の食事はテレビを見ながら食べることが多い。

お笑い番組のときは、もちろん「アハハ」と声に出して笑う。

これは、まあ、当然のことだ。

報道番組の人がもっともなことを言えば、あいづちもうつ。うなずいたりもする。

「そうなんだよな」

なんて、レバニラ炒めをつまみあげながらつぶやいたりする。

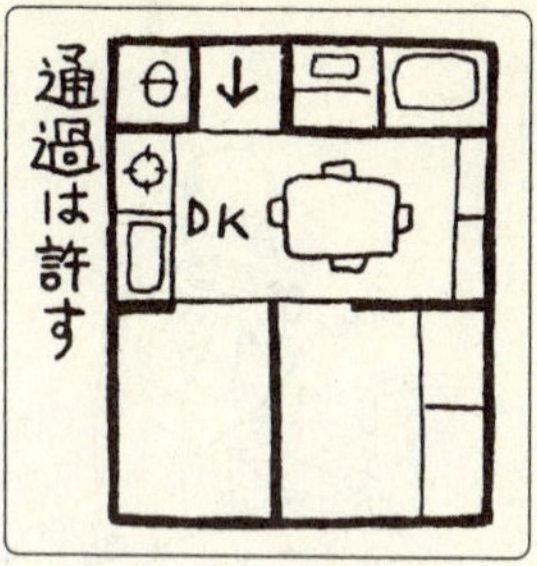

このへんまでは、まあ、だいじょぶだ。しかし、「そうなんだよな」の次に、「しかし、あれだよ、そうは言うけどね」なんて続くようになると少しアブナイ。ちゃんと声に出してつぶやくようになるとアブナイ。さらに、

「一概にそうとも言えない場合もあるんだよね。たとえば……」と続くようになるとかなりアブナイ。

特に「たとえば……」と続くあたりがアブナイ。

一人で作る料理は、だんだん乱暴になっていく傾向がある。

たとえば、最初のうちは一枚ずつはがして丁寧に刻んで食べていたキャベツも、いつのまにかベリッとはがして手づかみでそのままバリバリ食べるようになる。

カマボコなども、最初のうちは板からはがして、きちんと等間隔に包丁で切っていたものが、いつのまにか板つきのままの丸かじりになる。板つきのままのカマボコに醤油をつけて丸かじりしながら、「一概にそうとも言えないんだよね。たとえば……」とつぶやくようになると完全にアブナイ。

一人だけの食事習慣が長くなると、「フタハガサズ症候群」が出てくる。

まず、カップラーメンのフタを全部はがさず、カップのフチに付けてブラブラさせたまま食べるようになる。

玄関あけたら二分でゴハンのパックめしのフタも、全部はがさなくなる。半分めくった状態で食べる。

そのうち、めくってない部分のゴハンを、箸を突っこんでほじって食べるようになると、これはかなり重症だ。

板つきカマボコを丸かじりしつつ、半めくりめしを箸でほじりながら、「一概にそうとも言えないんだよね」とつぶやきつつ、キャベツもいまはもう一枚ずつはがすどころか丸ごとそのままかぶりついているあなた、一度その姿を鏡に映してみてはどうですか。

その人の流儀

■鮎の骨を抜く人

いよいよ鮎の季節。

鮎はなんといっても塩焼き。

和食のコース料理などにも鮎の塩焼きが出てくる。

みんなが箸をつけようとする瞬間、

「ちょっと待って」

と制する人が必ずいる。

〝鮎の骨抜き〟をやってみせようという人である。テレビのグルメ番組などで、その実演を見た人だ。

「こういうふうにね……」

と言って、その人は、踊り串を打ってある鮎の首すじのところからしっぽのところまで、全身くまなく箸で押さえつけていく。そうしておいてしっぽをちょん切る。

次に右手の箸で鮎の首すじのあたりを押さえながら、左手で頭を持って引っぱっていくと、いともたやすく骨はユルユルと引き抜かれていく……はずだ。小骨もいっしょに取れるからとても食べやすくなる……はずだ。

はずだが、実際にはそうはいかない。

ユルユルと引き抜かれていくはずの骨が、いきなりちょん切れる。

あるいは、ユルユルと引き抜かれてはいくが、身もいっしょに骨についてくる。ついてきてグズグズになる。

ぼくはこれまで、素人で鮎の骨抜きに成功した人を見たことがない。

挑戦して失敗した人は、

「鮎って結局骨ごとバリバリ食うのが一番なんだよね」

などと言い訳しながら無理してバリバリ食べ、硬い骨が歯にはさまり、うつむいてこっそりそれをほじったりすることになる。

■たくさん取る人

トンカツ屋の卓上には、トンカツソースの容器と並んでカラシの容器が置いてある。フタの片隅に穴があいていて、そこのところに小さなスプーンが差しこんである。

注文したトンカツが湯気をあげてやってくると、まずトンカツソースをかける。それからカラシを取ってトンカツの皿の隅になすりつける。何回も何回もなすりつけてたっぷり取る。

たっぷり取って大量に確保する。そうしてたっぷり残す。

こういう人は、(前回たっぷり取ってたっぷり残ったから、今回はひかえ目に)ということは絶対に考えない。

毎回毎回たっぷり取って、たっぷり残す。

■よくわからない人

屋台のおでん屋などによくいる人なのだが、まずチクワとコンニャクと厚揚げあたりをたのむ。

チクワを食べ、酒を飲み、コンニャクを少しかじったところで、「エート」とアゴに手をやって早くも次のものの検討に入る。検討に入って、「ゴボウ天」ということになる。

ゴボウ天をもらってそれを食べ終え、酒を少し飲み、また「エート」と次の検討に入る。

「厚揚げをどうする気だ」

と、そばで見ていてイライラする。

ゴボウ天の次はタコをたのみ、いまはタコをかじっては酒を飲んでいる。

厚揚げはどんどん冷えていく。

隣の客の厚揚げが気になりつつも、そのうちそのことを忘れて飲んでいて、ふともう一度厚揚げの皿を見ると、いつのまにか食べたらしく厚揚げがなくなっている。よくわからない人だ。

■カレーのスプーンを濡らす人

カレーを食べるとき、スプーンをコップの水にひたしてから食べる人は笑われる。

「やってる、やってる」

と笑われる。

しかし、あの行為の何がいけないのだろう。さあ、言ってみてください。あの行為のどこがいけないのか。

カレーの最初の一口目は、ゴハンがスプーンの底にねばりついて、口からスプーンを引き抜くとき、ちょっと嫌な抵抗がある。

スプーンを濡らしておけば、スッと快適にスプーンが引き抜ける。

高級な料亭などでは、あらかじめ割り箸を水にひたして湿らせてから客に出すところもあると伝え聞く。

むしろ、奨励すべきマナーと言えるのではないか。

■シーハの人

食事を終えてお茶を一口飲むやいなや、もう当然というようにヨージに手を出す人がいる。チッチおよびシーハの人である。

大抵おじさんで、大抵少し反りかえっていて、なぜか大抵あたりを少し睥睨《へいげい》しながらチッチおよびシーハをする。口の端をひんまげて歯ぐきの露出をはかり、最初はチッチを敢行する。

もちろん、片手で口をおおうというようなことはしない。

チッチのあと、舌の先端をそのあたりに派遣して夾雑物が撤去されたかどうかを確認し、次にシーハに移る。

チッチはわかるが、あのシーハにはどういう意味があるのだろう。ブッはすでに撤去されているのだからほとんど意味がないのではないのか。

カラシはいかにもカラシらしい容器に入っている

夾雑物が撤去されたあとの、歯と歯の間の風通しを確認しているのだろうか。それとも、撤去、開通を祝う祝砲のようなものなのだろうか。

シーハを無事敢行してふと気がつくと、右ナナメ前方のテーブルで、お茶を飲みながらこちらをじっと凝視しているOLに気がつく。彼女の目には、あきらかに嫌悪と軽蔑と憐憫が入りまじっている。シーハのおじさんは、それに対し目で応じる。

「わかってんだよ。ひらきなおってやってんだよ、こっちは」

シーハのおじさんと軽蔑のＯＬは、常にワンセットになっていなければならない。この二人がワンセットになっていて、はじめて風景として成り立つ。

その人の流儀　そのⅡ

■つけ合わせのパセリを必ず食べる人

みんなで取った鶏の唐揚げとか、サンドイッチとかについてくるパセリを、必ず食べる人がグループの中に必ず一人はいる。

そういう人は、必ず食べて必ず言い訳をする。その言い訳の中に、必ずビタミンという言葉が入る。「体にいい」という言葉も必ず入る。

この〝必ず食べる人〟は、必ず人にもすすめる。「体にいい」とか言ってすすめる。

しかし賛同者は少ない。この〝パセリを必ず食べる人〟は、なぜかグループに嫌われている人が多い。

■オムライスのケチャップをならす人

オムライスのまん中のところに、タテにひと筋ケチャップがかかっていますね。あれ

を左右に、丁寧に押し拡げていって平均にならす人。

誰でも多少は左右に押し拡げるものだが、丁寧に、平均に、〝いつまでもならしている〟というところがこの人のポイントだ。

オムライスの先端のしっぽ（というのかナ）のほうまで、ケチャップを丁寧に行きわたらせることに専念する。全域に行きわたらせたのち、もう一度全体をよく眺め、少しでも濃い目のところを発見すると、嬉しそうにそこをならす。

■コロッケをつぶす人

皿の上のコロッケやメンチカ

ツを、箸を横にして平らにつぶし始める。

この人も一種の〝丁寧派〟で、コロッケの厚みを全域同じにすることに専念する。皿の上のコロッケを、押しつぶして平らにしようとする気持ち、なんとなくわかるような気もするのだが、よく考えるとよくわからない。

あのままの状態ではなぜいけないのか。なにがいけないのか。

こういう人は、コロッケを平らにしたのち、全域に丁寧にソースをかけ、もう一度ソースを丁寧に箸で押しつける。

話は変わるが〝サンドイッチをつぶす人〟もいます。

サンドイッチを右手ではさんで、話をしながら人さし指と親指でつぶしていく。この人も〝平均〟と〝丁寧〟ということを常に心がけていて、いつのまにかサンドイッチが平均にペッタンコになっている。見ていて「なんだかおいしそうだナ」とは思うが、まだやったことはない。

■漬け込む人

天ぷら定食などをとると、とりあえず天つゆの皿にすべての天ぷらを漬け込む。漬け込んで、箸で少し押しつける。箸で押しつけて、話し込んだりしている。

このときこの人の念頭にあるのは〝どっぷりの思想〟である。〝びたびたへの憧憬〟である。天つゆにどっぷりひたってびたびたになった天ぷらは、「いかにもウマそうだ

ナ」とは思うがまだやったことはない。

この「漬け込む人」には二種類ある。一つはいま述べた「わざと漬け込む人」であり、もう一つは、「漬け込んで忘れる人」である。

すき焼きの肉を取って卵の器に入れて忘れちゃう人。すっかり忘れていつまでも話し込んだりしている。さっき漬け込んだのをすっかり忘れて、また肉を取ってまた漬け込んでまた忘れてまた話し込んだりしている。

寿司を醬油の皿に漬け込む人もいる。いつどこで漬け込んだのか、ふと隣の人の醬油の小皿を見ると、イカの握りが漬け込んである。

漬け込んでからだいぶ時間が経っているらしく、白いイカの先端が醬油色に染まり、シャリが崩れて醬油の中に流れ出している。

こういう人が食べ終えたあとの小皿には、醬油漬けになったゴハンがたっぷり沈んでいる。

■ラーメンの具を元のところに置く人

例えばチャーシューをひとかじりして、元のところにきちんと置く。

かじりかけのチャーシューなんか、どこに置いたっていいじゃないか。そのへんにポイと置けばいいじゃないの。だいたいラーメンなんて、元あった場所にこだわるような立派なとこか？　ちゃんとした場所か？

ラーメン屋のオヤジだって、適当なとこにポイと置いただけじゃないの。しかも、いつまでも置いとくわけじゃないでしょう。一カ月も二カ月も置いとくわけじゃないでしょう。

でもダメなんですね。この人は元あったところにきちんと置かないと気がすまない。食べ進んで麵や具が入り混じってゴチャゴチャになっても、きちんと元あった〝あたり〟に置かないと気がすまない。

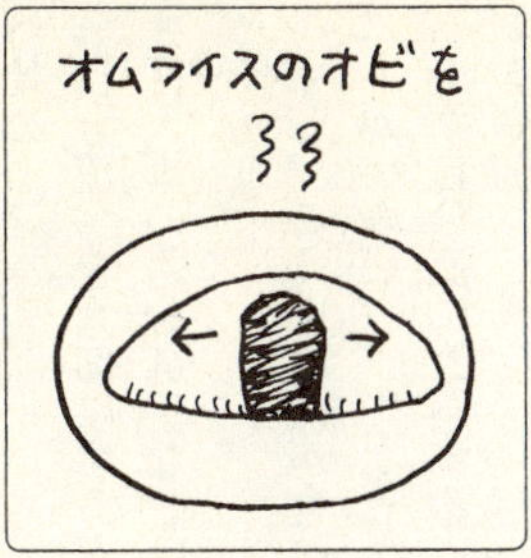

■カツ丼のカツを積み上げる人

カツ丼がくると、とりあえずカツを片隅に積み上げる。水防工事の土のうのように積み上げる。

この人は〝設営〟ということが好きなのだ。キャンプのときなど、テントを張ったりカマドを掘ったり、薪を運んできて積み上げたりしておくことに喜びを感じる人なのだ。

〝備蓄〟を心がける人でもあるのだ。

自分の思うとおりに設営し、備蓄し、それから安心して食べ始める。

〝自分流〟を大切にする人なのだ。

巨人軍の落合選手などは、カツ丼を食べるとき、きっとカツを片隅に積み上げるにちがいない。

もし、こういう人が食べ物屋を始めるとすると、絶対に「居抜き」では店を始めないにちがいない。

必ず自分流に改築するにちがいない。〝カツ丼の居抜き〟さえ嫌って、自分流に改築するぐらいだから。

魅惑のコリアン市場

　ＪＲの御徒町駅のすぐ近く、旧タカラホテルの裏に「コリアン・マーケット」がある。七、八軒の韓国料理の食材を売る店と、大小合わせて十数軒の韓国料理の店があるだけなのだが、ここへ行くとどうしても興奮してしまいますね。

　まず塩からで興奮する。あみの塩から、タラの内臓の塩から、明太子の塩から、カタクチ鰯の塩から、カキの内臓の塩から、なんだかワケのわからない塩から、などなどがズラーッと並んでいて、塩から好《ず》きは興奮して目が血走る。血迷って頭がヘンになる。

　御徒町の改札を出て、アメ横を少し歩いて右に折れ、高速道路の下をくぐると、まずマーケット入口の肉の「みち川」の看板が見えてくる。

　次にキムチなどの食材の「アリラン亭」の看板が見え、「梁川食肉販売」「黄錦商会」「まるきん」、焼肉の「板門店」「大門」と、次々に看板が目に入ってくると、毎度のこ

となから鼻息が荒くなる。歩速が速くなる。姿勢が前のめりになる。

自分でも（なぜこんなに興奮するんだろう）と思うのだが、それがよくわからない。

隣国でありながら、韓国の食材に日本人は意外にくわしくない。このマーケットはまさに未知の宝庫だ。行くたびに新発見がある。

年に一回か二回、ここで食材をあれこれ買い込み、帰りに焼肉屋で焼肉を食べて帰ってくるのだが、この順序が逆になると必ず失敗する。

あくまでも、買い物→焼肉と

いう順序でなければならず、焼肉→買い物という順序だと、おなかが一杯で買い物への情熱が驚くほど一挙に減退する。

そのかわり、買い物が先で、しかも空腹だったりすると、驚くほど買い物への情熱が猛然とわいてくる。

毎度のことながら、とりあえず塩からのたぐいを山のように買いこむ。

それからキムチ関係に目を向ける。キムチ関係の種類もめちゃめちゃ多く、ズラーッと並んでいる一つ一つを、

「これはナニ？　これはナニ？」

とはじから訊いて教えてもらっているうちに、そのうちどれがどれだかわからなくなってくる。

大根葉のキムチ、青唐がらしのキムチ、ニラのキムチ、切り干し大根のキムチ、ナスのキムチなどなど、どれを見ても（買わずに帰らりょか）というキムチになる（気持ちになる）。どのキムチを見ても（このキムチで熱いゴハンを一口）というキムチになる。

キムチに次いで心ひかれるのが唐辛子醬油漬け関係だ。

なかでも、エゴマの唐辛子醬油漬けはとび抜けてウマい。ぼくはエゴマの大ファンだ。エゴマというのはシソ科の一年草だそうで、シソと同じような形をしているが葉の味が力強くて濃い。これに熱いゴハンをくるんで食べてもおいしく、意外に刺し身をくるん

コリアンマーケットで
「アタコン・メチバ
テフル症候群」に
なった人

で食べてもおいしい。

醤油漬け関係は、このほか、ナス、ワケギ、ニンニク株ごと、ニラ、桔梗《ききょう》の根、大豆の葉などがある。塩から関係、キムチ関係、醤油漬け関係を、あれもこれもと選んでいるうちに、次第に頭は混乱し、目は血走り、手がふるえてくるのは毎度のことだ。これがコリアン・マーケットに於ける「アタコン・メチバ・テフル症候群」と呼ばれているものだ。

肉の「みち川」および「梁川」「まるきん」をのぞくと、この症候群はさらに重症となる。日本の食肉店の風景とまるでちがうのだ。

骨つきカルビ、ミノ、タンはおなじみだが、ハチノス、豚のアキレス腱、カシラ（頭のとこの肉らしい）、ハラミ（横隔膜）、豚の耳、足、フエ（牛の肺）などが並んでいる。フエは、まさに人体模型の肺の形そのままで売っている。牛シマ腸というのは、牛の腸の内壁らしい。

「まるきん」のおばあさん（かなりのお齢）に薦められて、スエと呼ばれる朝鮮ソーセージを一本（かなり巨大で四四〇円）買ったが、「内臓とか、いろんなところのお肉が入っている」とかでとてもウマかった。

　このほか、コーン茶と呼ばれているトウモロコシ茶（麦茶に似ている）、韓国味つけ海苔、韓国岩海苔の味つけビン入り、インスタントのドジョウ汁とテールスープ、渡りガニの唐辛子醤油漬け（これもウマかった）、朝鮮人参ドリンク（一二〇㎖・三五〇円）、朝鮮民主主義人民共和国製のピョンヤン焼酎（三〇〇㎖入り・三五〇円）、強壮スープの参《さん》鶏《げ》湯《たん》（パック入り・一二〇〇円）などを買いこんだ。ピョンヤン焼酎はツンとくるところが少しもなく、二十五度なのにとてもマイルドでたちまちファンになった。

「まるきん」で、またしてもおばあさんに薦められてイシモチの開きを買ったが、これはごく普通の開きだった。

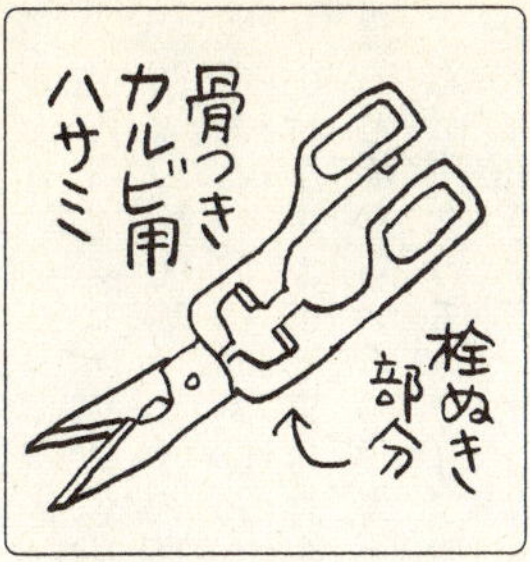

　このマーケットのファンは多いらしく、グループで来ている人もいる。たくさん買いこんで宅配便をたのんでいる人もいる。
　このマーケットの人たちは、みんな人なつこくてとても親切だ。
　買い物を両手にぶらさげて、ヨタヨタと入っていった韓国料理店「大門」のおばさんもとても人なつこかった。
　この店の二階は、入れこみの座敷で、なんでも安くて量が多い。

生ビール（中）が六〇〇円だが、これまた量が多い。

「カオリ」というエイの刺し身があった。歯ごたえのある白身の刺し身で唐辛子がまぶしてある。おばさんいわく、

「小岩からよーく来るお客さん、いてネ。ウチの戸開けて『カオリある？』って訊いて、ないと帰っちゃうの。大阪はあるけど東京であるのウチぐらいだからね。で、そのお客さん、決まってカオリ二皿とミノ一皿とってビール一本飲んで帰んの。好きな人は、ホントに好きよ、カオリは」

と、人なつこくテーブルで話しこんでいくのだった。

最近居酒屋チェーン事情

「庄や」「つぼ八」「村さ来」「天狗」などの、いわゆる居酒屋チェーンはその後どうなっておるのか。

その後、と言ってもどのあたりのその後か？　と言われると困るのだが、あれは昭和四十五年ごろでしたっけ、焼酎ブームと共に居酒屋チェーンが雨後のタケノコのようにあちこちにできたのは。でもって、焼酎ブームが下火になると共に、なんとなく居酒屋チェーンも下火というか、以前ほどの勢いがなくなり、ぼく自身の居酒屋チェーンへの興味もうすれてきて少しずつ足が遠のいていったのだった。

というあたりの、〝その後〟の居酒屋チェーンはどうなっておるのか。

元居酒屋ウォッチャー、かつ元居酒屋ジャーナリスト、かつ居酒屋研究学者が、その後の居酒屋チェーンの動きを探るべく、居酒屋組織グループの内部に深く潜入し、その

組織および活動の解明を試みた渾身のルポがこれである。

居酒屋チェーンのメッカと言えば、これはもう渋谷である。渋谷のセンター街を歩けば、そのあたりの雑居ビルの中に、一つや二つの居酒屋チェーンを見出すことは容易である。

とりあえず、「つぼ八」の内部深く潜入する。

「おおっ！　あれはなんだ!?」

というのは、古くは川口浩探険隊の常套句であったが、まさに「おお!?　これはなんだ」と叫ばずにはいられない風景がそこに展開していたのであった。

カウンターの色がまっ赤だ。

朱塗りのようなつやつやしたまっ赤だ。

かつては農村風半纏《はんてん》の田舎づくりであった店員の服装が、まっ赤なシャツと棒タイに変わっている。

まっ赤なシャツのソデのところには、〔TSUBOHACHI〕の文字入りのマークがついている。

まっ赤なカウンターの上に目を移すと、「おおっ！　これはなんだ!?」

ファミレス風巨大カラー写真つきメニューには、なんと料理の一つ一つにカロリー表示がしてあるのだ。

●カツオたたき　三五〇円（103cal）
●冷や奴　二〇〇円（55cal）
●エシャロット　二五〇円（36cal）

冷や奴のカロリーを知ったところでどうなるというんだ。それが今宵の酒宴に何か影響を与えるというのか。

メニューそのものは新旧両世代に目を向けているようだ。

居酒屋チェーンの守護神、ホッケの開きは相変わらず健在だ。

旧のほうの焼き鳥、枝豆、ししゃもなども健在だが、モツ煮こみ、肉じゃがは追放されている。しかしモズクは生きながらえている。しかしシオカラはない。このあたりの

取捨選択は今後の研究課題となろう。

新のほうはパンプキンチーズ、ポテトピザ、コーンサラダなどだが、特に変わりばえのしたものはない。

メニューの中で一番高いものが五八〇円（つぼ八ステーキ）で、一番安いのが二〇〇円の冷や奴だ。

居酒屋チェーンは、二〇〇円から五〇〇円の世界なのである。

これほど安い居酒屋は、居酒屋チェーン以外には絶対にない。

ステーキだって、五八〇円ではあるが肉の量は200グラムもあって、肉の質も味もそれほどわるくない。

味については、値段から想像して、それなりのものを予想していたのだが、それなり以上においしい。ちゃんとしている。

焼き鳥も、バイトらしいオニイチャンではあるが、きちんと丁寧に塩を振り、火加減もきっちりと焼いてある。

日本酒なんか正一合が二四〇円。ビールの大ビンが四五〇円。

行くべし、おとうさん。小づかいの心細いおとうさん、行くべし、と、けしかけたいところだが、店内にはおじさん族はただの一人もいない。サラリーマンといえども二十代までで、あとは学生さん、耳ピアスのオニイチャンとバンダナ風へアバンドの女の子ばかり。

店内の造り、雰囲気、メニューのいずれもが、おじさんを来させないように工夫されているのだ。

店内の男の、耳ピアス指数が非常に高い。若いサラリーマン以外の男の、七割は耳ピアス族だ。

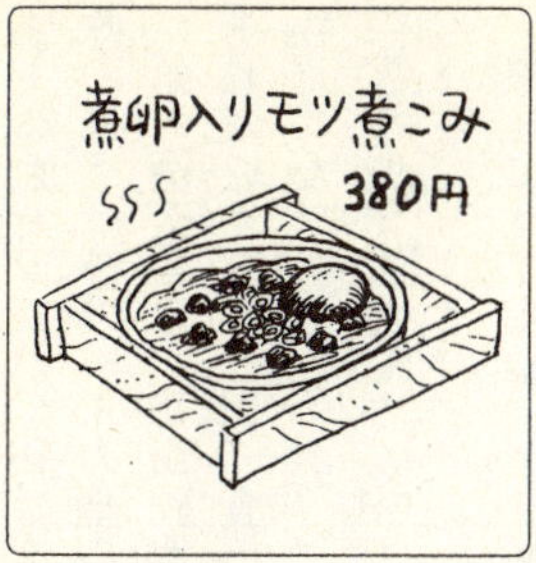

次に行った「天狗」は、さらに耳ピアス指数が高かった。店内の造りはほとんどファミレスで、二百人は入れるという広大な店だが、三十代の客さえ一人も見当たらない。

しかし、この店には、おじさん族垂涎《すいぜん》のモツ煮こみも肉じゃがもある。さばの味噌煮も山かけもある。ひらめ薄造り、しまあじの刺身なんてものもある。

すきやき鍋もあって、これが三八〇円。もう一度書くが、すきやきが三八〇円。これがなかなかどうして、ちゃんとしたすき焼きで量もそれなりにあっておいしい。ためしにしまあじの刺身（四八〇円）をとってみたが、切り身が小さく、薄く、見かけはみじめだが味のほうはそのへんの縄のれんの居酒屋よりちゃんとしていた。

蛤の酒蒸しは、柳川鍋風の鍋に八個も入っていて、蛤の火加減もまさにぴったりで、それでいて三八〇円。食器は「つぼ八」「天狗」の二軒ともプラスチックではなく瀬戸物だった。

どうです、おじさん族も、きのうまでの縄のれんをやめて、今夜からでもぜひ行ってみたいでしょう。

それにはですね。とりあえずダウンタウンの浜ちゃんがかぶっていたような帽子を、ツバをうしろにしてかぶりましょう。それから耳に穴をあけましょう。穴をあけて、しっかりピアスをとめましょう。

そうすれば今夜からでも、堂々と店内に入っていくことができるはずです。

徳利を振る人

〝注《つ》ぐ人〟っていますよね。

注ぐのが好きな人。
五、六人集まって酒を飲むとき、テーブルにビールが到着するやいなや、まっ先にビンを取りあげて注いでまわる人。
トップを切る人はいつも決まっている。

「まあ、一杯。さあ一杯」

と言いながら、次から次へ注いでいく。一人目のコップに注ぎ、まだ注ぎきらないうちに、もう次の人のコップを目で追っている。

注いでもらっている人は、ヒザを組みなおしたりして、

「ハ、これはこれは」

タップシの一本を
つくりおえて あとは
チャンスを待っている人

なんて、コップに両手を添えて注いでもらっているのだが、注いでいる人の心はすでにここにあらず、ダバダバダバとコップの中は泡だらけだ。

注いでもらって、

「いただきます」

とコップを高く掲げたときには、相手はすでに次の人と話しこんだりしている。

話は変わるが、ビールだけでなく、握手のときもこういう人っていますよね。パーティーなんかで、有名な人が順々に握手している。

いよいよ自分の番がきて、喜び勇んで握手してもらっているのだが、その人の心はすでにここにあらず、次の人の顔を目で追っている。

話を元に戻して、この〝注ぐ人〟は、ビールばかりでなく何でも注ぎたがる。

刺し身がくると、こんどは刺し身用の小皿に醬油を注いでくれたりする。

醬油さしを手に持って、「ま、どうぞ」なんて言われれば、誰だって小皿を取りあげて突き出さざるをえない。

相手が偉い人の場合は、小皿に両手を添えて注いでもらうことになる。

ナミナミと注いでもらって、つい小皿を高く掲げて、

「いただきます」

なんて言ってしまう人もいる。つい、ひと口すすってしまう人もいる。（いません）

こういう人は、一種の仕切り好きなんですね。ビールで仕切り、醬油で仕切る。

刺し身がマグロとヒラメの薄造りで、醬油の小皿とポン酢の小皿が別々にくることがある。

店の人が、

「マグロはこっちのお醬油で。ヒラメはこっちのポン酢で」

と説明して立ち去ると、〝注ぐ人〟はこんどは〝注意する人〟に変身する。隣の人に、

「こっちの色の薄いほうがポン酢で、ヒラメの薄造り用らしいですよ」

と念を押す。

そうしておいて、隣の人の行動を横目で監視している。ヒラメの薄造りを醤油のほうにひたそうものなら、待ってました、隣の人が、つい、
とばかりに、

「あ、それは醤油。ヒラメはそっちのポン酢のほうで」

と注意する。注意されたほうは、

「や、そうでしたね」

と、一応は照れたりするが、

「うるせー。オレはどっちだっていいんだ」

と思っている場合が多い。それでも、この元注ぐ人、現注意する人は、

「次、誰か間違えてくれないかな」

と全員に目を光らしているのだ。

そうして、誰も間違えないとがっかりして、ようやく自分の刺し身を食べ始める。

がっかりしすぎて、つい、マグロをポン酢にひたしてしまい、隣の人に注意されたりする。

酒宴は続いて、ビールから日本酒に移行すると、この現注意する人は、再び元注ぐ人にカムバックする。

「まあ、一杯。さあ、一杯」と、いよいよ忙しくなる。

さらに酒宴が続いて、テーブルに徳利が林立するころになると、元注ぐ人、元注意する人は、こんどは〝振る人〟に変身する。徳利を一本ずつ持ちあげては振ってみる。振ってみて中身がないときは横に倒す。

あるいはテーブルの下に並べておく。あるいはテーブルの上の一角に、〝カラになった徳利コーナー〟をつくってそこに並べておく。

並べて目を光らしていて、そこから一本取りあげようとする人に、

「あ、それはカラ。そこに並んでいるのは全部カラですから」

と注意する。

だいたいこういう人はあまり酒を飲まない。

酒を飲まないからわりにヒマで、注ぐか、監視するか、どちらかに気を配っている。

徳利の動きを目で追っていて、カラになったと思われる徳利は素早く回収する。

カラになったと思われる徳利も、一応振ってみる。振ってみて少し残っていると、こんどは〝少し残っているコーナー〟をつくってそこに並べておく。そうして、

デッドソルジャー
という言い方も
あるという

（そろそろ一本分になったナ）

と思うころ、それらを総合して、〝口元までタップシ〟の一本にする。

そのタップシの一本を手に持っていて、カラになった徳利をつい取りあげてしまった人を発見すると、

「あ、ここにタップシの一本がありますから」

と嬉しそうに差し出す。

また、嬉しそうに受けとってくれるんですね、口元までタップシの一本を。だからこそ、この人は、勇躍、次のタップシの一本の制作にとりかかることになるわけです。

話は変わりますが、自動販売機で買った缶ジュースなどを、無意識なんでしょうけど、ひと口飲んでは振り、またひと口飲んではしきりに振っている人っていますよね。

ああいう人です、酒席で徳利をやたらに振っている人は。

寿司の新顔「パック寿司」

最近、主としてデパートなどで、セロハンで一個一個パックした寿司を見かけたことはありませんか。

奥行き一メートル、幅四メートルほどの大きなケースに、一個一個きちんと包装した色とりどりの寿司が、ズラリと並んでいる様は壮観だ。

なんだか楽しそうでもある。

ネタの種類は、イカ、マグロ、エビから始まって、ヒラメ、シマアジ、ウニ、イクラ、アワビなどの高級ネタまで揃っている。

そしてですね、ここがポイントなのですが、いいですか、落ちついてくださいよ、イカもマグロも、ヒラメもウニもイクラもアワビも、ぜーんぶ一個五十円なのです。

ふだん寿司屋で、ウニと聞いてびくつき、アワビと聞いておびえていた人も、このケ

ースの前では堂々としていられる。「フン」なんて言って、アワビを指ではじいたりしてもいっこうにかまわない。

でも、ついふだんのクセが出て、イカにマグロにタコに、なんて取りあげていって、次にウニを取りあげようとして、つい、手がひっこんだりする。

これまでのマインド・コントロールが効いているわけですね。

取りあげた寿司は、自分でパッカン開閉方式のプラスチック容器にきれいに詰めてレジに持っていって精算してもらう。

一個五十円だから自分でも合計がすぐにわかる。安くて明快、というところが受けている理由らしい。

デパートの食品売り場の魚売り場のあたりに位置していて、昼食時にはＯＬ、午後の三時あたりには主婦が群がっている。

寿司屋の寿司、回転寿司に次ぐ第三勢力として将来が有望視されている。

味はどうか。これが意外にいけるのである。回転寿司と同等、と考えてよいようだ。

もちろん寿司ロボットが握るわけだが、シャリの握りぐあいは、硬すぎず、柔らかすぎず、ちゃんと口の中でホロリとくずれる。

ロボットが一個一個、真心こめて握った、という感じがある。ロボットの誠意、なんてことをつい感じてしまう握り方だ。

レジで金を払い、いそいそと家に持って帰って、いそいそとテーブルの上に置き、いそいそとお茶をいれて、いそいそと小皿に醬油をそそぐ。

この〝いそいそ感〟が、コンビニ弁当を買って帰ったときや、ホカ弁を買って帰ったときのいそいそ感と全然ちがうんですね。

「寿司だ！」という思いが気分を浮きたたせるのかもしれない。

熱いお茶をすすって、まずマグロ。

セロハンをはがしていくときの気持ちは、そうですね、包装された和菓子を食べるときの気持ちに少し似ている。マグロ、イカ、サバと、はがし食いしていって、いよいよアワビということになる。

もちろん、アワビとは言っても、一個五十円のアワビであるから、それなりのアワビというか、かろうじてアワビというか、本人だけがアワビだと信じているアワビというか、そういうアワビだ。厚さ一・五ミリ、面積は切手一・五枚大だからシャリに余白がある。

こういうアワビの対応策はちゃんとある。アワビを二個買ってきて、一個目のアワビをはがしてシャリだけの裸にする。シャリだけの寿司を味気なく、我慢して食べる。〝アワビのおしん時代〟というわけですね。

そうしておいて、もう一個のアワビに最初のアワビをのせ、敷地いっぱい堂々の〝アワビの角栄時代〟に仕立てあげて食べる。

ウニもイクラもそういう方式で食べる。

〝おしん時代〟を避ける方法もある。

裸にしたシャリの上に、冷蔵庫に入っていた夕べの残りのマグロの刺身をのせて食べる、という方法だ。

アワビをはがしてマグロを着せる、〃着せ替え人形方式〃だ。買ってきたマグロの上に、冷蔵庫のマグロをのせる〃豪華二階建てマグロ〃だって意のままだ。なんならもう一枚のせて〃超豪華三階建て二世帯住宅型マグロ〃だって、可能だ。

なにしろ寿司をセロハンで包装したニューウエーブの寿司だから、これまでの寿司のルールは通用しない。どんな食べ方をしたっていいのだ。改造し放題、改築し放題で食べるところが楽しいのだ。

ダイエット中の人ならば、シャリの下半分を包丁で切って取り去り、シャコタン寿司にして食べてもいい。

こういうアワビだが
いわゆるゴムアワビ
ではなくそれなりに
いける

ルールが確立されていないゆえの問題点もある。

「小僧寿し」などの「パーティ寿司セット」は、あきらかに客に出してもよいが、このセロハンパック寿司は客に出してもいいものなのかどうか。

「あそこのおうちに伺ったら、パック寿司出されちゃって」なんて非難されることも考えられる。

気のおけない客に出すのはいいとしても、その場合、セロハンを全部はがして出すべきなのか、それとも包装したまま出すべきなのか。

一個五十円、と値段がはっきりわかっているところにも問題はある。

客は、一個食べては「これで五十円」、二個食べては「これで百円」「あと四個食べると合計三百円」と、頭の中から値段のことが離れない。合計三百円食べたところで少し考え、

「あと二百円いくか」

なんて考えたりする。

寿司を出したほうも、客が帰ったあとで、

「あの客は六百五十円も食べてった」

と、金額がはっきり頭に残る。

「いし辰丼」の迷い

「天丼にするか、かつ丼にするか、親子丼にするか」

日本人なら一度は悩んだテーマだ。

いわゆる三択問題というやつですね。この三択問題が厄介なのは、一度答えを出してしまえばそれでいい、というわけにいかないところにある。

次回、また同じ三択問題で悩む。

正解がない、というところも、この問題のつらいところだ。

「天丼にするか、かつ丼にするか、親子丼にするか」

大いに悩んで、一応「かつ丼」という答えを出し、それを食べ、食べ終わってみても、はたしてそれが正解であったかどうか、それは誰にもわからない。本人にもわからない。

「天丼のほうがよかったんじゃないか」

様々な葛藤があったが
いまはやすらかにかつ丼をいただくご婦人

なんて、食べたあとも悩んだりするわけですね。この永遠に正解のない設問に、正解を与えようとした人がいる。

築地場外市場の一角にある「味のいし辰」の主人である。

正解は意外なところにあった。天丼とかつ丼と親子丼を、一つの丼に盛りこんでしまうのである。

こうなったら、客はもう迷おうとしても迷いようがない。

この混合丼に、「いし辰」の主人は「いし辰丼」という名前をつけた。一五五〇円である。

「きょうの昼めしは、天丼にするか、かつ丼にするか、親子丼にするか、大いに悩んでやろう」

と勇んでこの店にやってきた人は、「いし辰丼」を見てヘナヘナになる。がっかりしてヘロヘロになり、声まで裏返って、長屋住まいで有名だった落語の林家彦六師匠のような声になって「い・し・た・つ・ど・ん」と注文することになる。

「いし辰丼」はどのような構成になっているのか。

天丼とかつ丼と親子丼をいっしょの丼に盛りこむといっても、丼物の表面積には限りがある。

そこで考え出されたのが二世帯住宅方式であった。

まず丼に浅めの飯を盛り、その上にかつをのせてかつ丼となす。

そのかつ丼の上半分ずつに、親子とエビをのせるという二階建て方式をとっているのだ。

狭い土地の有効利用ということを考えると、二階建ての二世帯住宅にならざるをえないのは、人間界も丼界も同じなのだ。しかし、二世帯住宅というものは、なんとかして親と子を別々に住まわせようとするのが目的なのだが、この場合は親子がいっしょに二階に住んでいて、しかもエビという他人も同居させており、階下には豚の一家が住んでいるという、よくわからない住宅構造となっている。丼界には丼界の事情があるらしいのだ。

うんと迷ったほうがよかったのではないか…
いまはむなしい

天丼のエビは、本来はエビ天だが、「いし辰丼」はエビフライを使っている。「いし辰」は、フライ物はやっているが、天ぷらはやっていないので、それでエビフライということになっているらしい。

親子は、二世帯住宅の二階にエビ天と同居するつもりだったのに、その親戚のエビフライが来てしまって話がちがうわけだから、おそらく様々なゴタゴタがあるにちがいない。ところが、このゴタゴタがおいしいんですね。

丼物は、そのツユのしみたゴハンがおいしい。丼物のツユは元々蕎麦ツユのようなものだが、蕎麦ツユをゴハンにかけてもおいしくない。

丼物がなぜおいしいかというと、親子丼なら鶏からにじみ出た味が、かつ丼なら豚とコロモから出た油の味が、ツユの中にしみこんでツユそのものがおいしくなる。

そこんところへ、さらにエビフライのエビ関係の味がゴタゴタと加わって、ツユはさらにおいしくなり、そのツユが、二階から、一階の屋根からにじみ出てきてゴハンにしみこむわけだから、その複合の味がまことにこたえられない。

他の単一丼とは一味も二味もちがった味となっている。

「いし辰丼」は、このほかにさらにおまけとして、シイタケとエノキとシメジを卵でとじたものを、親子とエビフライの上からかけてある。

もともとゴタゴタが起きている一家の上から、さらにキノコ一族がおおいかぶさってきたわけだから、そのゴタゴタぶりは想像を絶するものがあるにちがいない。と同時に、ゴタゴタの美味はいっそう増すというしかけになっているのだ。

「いし辰」はかなり大きな店で、「いし辰丼」ばかりでなく、かつ丼もあれば、かつライスもあり、エビフライライスもある。辛子醬油で食べるマグロの中おち定食などという魅力的なものもある。

迷いだしたらキリがない店なのだ。

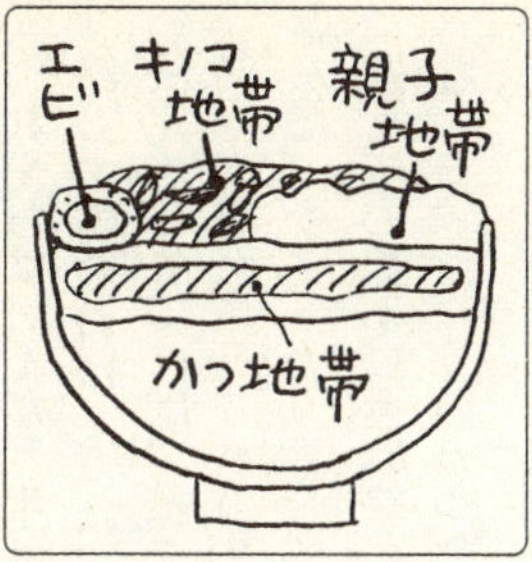

ここの主人は、そうした豊富なメニューを前にして、ああでもない、こうでもないと迷い苦しむ客を毎日見ているのがきっとつらかったのだ。

なんとかして、迷い苦しむ人々を救ってやろう、そう思ったにちがいない。そうしてついに「いし辰丼」を開発したのだ。

ぼくの隣のおばさんはかつ丼を食べていた。どういうわけかこの店は女性客が多い。午後一時近くだったが、ＯＬの二人づれやおばさんなど半分近くが女性客だった。

ぼくの隣のおばさんは、いまはああして心静かにかつ丼を食べているが、「かつ丼」と決定するまでには、様々な迷いや葛藤があったにちがいない。

ぼくは、天丼か、かつ丼か、親子丼か、という迷いを断ち切るために「いし辰丼」を選んだ。

選んで心静かに食べ終わって、ふと、こう思いました。

「むしろ、ふつうのかつ丼にしたほうがよかったのではないか」

ついでの味

このところ、ビールの飲み過ぎで胃が荒れているせいか、次のような料理を考えてしまった。

とにもかくにも胃に負担のかからない、さっぱりした料理である。

まず、昆布と煮干しでダシをとる。

そこへ大きめにきった豆腐を入れる。味噌を味噌汁ぐらいの濃さに入れる。

これでできあがりだ。

なんだったら、豆腐といっしょに油揚げなんかを入れてもいい。

できあがったらすぐには食べず、しばらくおいて冷めるのを待つ。

冷めたら豆腐を引き揚げ、器に盛って食べる。

なんのことはない、これは豆腐の味噌汁から豆腐を引きあげただけの料理なのだ。

でも、ホラ、味噌汁が余って、台所に鍋ごと置いてあって、ふと立ち寄った台所で、ふとおたまを取りあげて、ふとその豆腐をすくいあげて立ち食いしてみたらとてもウマかった、ということってよくあるでしょう。

時間がたっているので、豆腐に味噌汁の味がよくしみこんでいるところがミソだ。味噌で味つけしたのではなく、味噌汁で味つけしたところがミソだ。

煮物とはちがった清潔感のようなものがあって、荒れている胃にはしみじみおいしい。

意図的につくった〝味噌汁の具料理〟とでもいうんでしょう

か。

それに、ふだん味噌汁の具って、きちんと味わってあげてないでしょうが。いつもいいかげんに、汁といっしょにズルズルッとすすりこんでいるでしょうが。

味噌汁の具を、ちゃんとした一品料理として味わってやろうという魂胆もあるのです。〝新キャベツの味噌汁の新キャベツ総引き揚げ〟なんてのもウマいだろうな。たくさん入れて、サラダ感覚でたくさん食べる。

引き揚げ料理という発想でもう一つ。

まず和風のカレーをつくる。

ジャガイモ、ニンジン、タマネギ、豚肉が入っていて、和風で、うんと黄色くて、冷めると表面に膜が張るようなカレー。

これもできあがったら冷めるのを待つ。冷めたらジャガイモだけ引き揚げて器に盛って食べる。食べるとき、きちんと盛りつける。ここが一品料理となるかどうかの分かれ目なのです。

和風カレーのジャガイモだけ引き揚げ料理、というわけだ。

和風カレーの中の、黄色く煮あがったジャガイモはおいしい。立派な一品料理であるとかねがね思っていた。

考えてみると大変贅沢な料理だ。

豚肉もタマネギもニンジンも、カレーのルーも、すべてジャガイモの調味料として使われている。

このジャガイモの味は、求めてたどりついた味ではなく、ついでについてしまった〝ついでの味〟ということになる。ついでについてしまった曖昧な味を楽しもうということなんですね。

そういう意味では、八宝菜の中のニンジンも、ついでの味としておいしい。八宝菜の甘酸っぱいトロミがまとわりついたニンジンはおいしい。

筍やシイタケほどトロミをはねつけず、タマネギほどにはぐったりと引き込まず、トロミに対して程のよい距離をおいている姿勢がいい。その姿勢がおいしい。

ただの玉ネギ丼じゃありません
牛肉の味がよーくしみこんだ玉ネギ丼だ

この場合にも言えることだが、ニンジンを別の器に盛り分けてから食べないといけない。

そのままだと、単なる〝八宝菜の中のニンジンの拾い食い〟ということになってしまう。

荒れている胃には焼き鳥も合う。

鶏肉、ネギ、鶏肉、ネギと、肉の間にネギをはさんで焼く。焼きあがったら串からはずし、ネギだけを皿に盛って食べる。焼き鳥には、ネギだけ串に刺して焼いた「ネギ焼き」があるが、あれとは一味も二味もちがう。

ネギに鶏肉の味がしみこんでいる。鶏の脂もしみこんでいる。鶏肉の代わりに鶏皮でやってもウマいかもしれない。

アナゴ寿司も荒れた胃にはいい。

アナゴ寿司は自分では握れないから寿司屋に行く。カウンターで「アナゴ」と注文する。

「ヘイ、おまち」

とアナゴの握りが来たら、しばらくそのまま放っておく。五分ほどたったら、上のアナゴをはずしてわきへ置く。そうして下の酢めしだけ食べる。アナゴ独得の香ばしい味と、甘からのタレがよくしみこんだ酢めしはウマい。荒れている胃にはアナゴはきついが、その下の酢めしは、ほどよく胃におさまる。

ただし、食べ終えて、ふと目の前を見ると、包丁を握ってまっ赤になってブルブルふるえている店のオヤジを発見することになるにちがいない。

ウナ肝もこの伝でいく。ウナ肝を串から引き抜き、串のほうをしゃぶる。

串にはわずかにウナ肝がこびりついていて、タレの味もよくしみこんでいて、しばらくはしゃぶっていられる。

タンメンからモヤシだけ引き揚げたものもおいしいにちがいない。

タンメン独得のスープにぐっしょり濡れて、ほどよくシャリ感を残したモヤシはウマいはずだ。かすかに麺やカン水の味もあって、ついでの味の白眉といえるかもしれない。

牛丼の〝肉よけタマネギだけ引き揚げ丼〟というのもいいかもしれない。

サラミソーセージの、脂身だけ拾い食い、というのもやってみたい。

ポテトサラダの中のキュウリだけ拾い食いというのもウマいぞ。

世の中には、まだまだおいしいものがいくらでもある。

逃げるワンタン

「ラーメンだけではなんとなく物足りない」

なんてときに、いろいろ考えたすえ、ワンタンメンを注文することがある。

ラーメンの値段に百円程度足しただけで、ラーメンとワンタンがいっぺんに食べられる。

ラーメンとして完結している丼の中に、さらに七〜八個のワンタンが参入しているのだから、

「うん、これこれ！」

と、最初は大いに得をした気になって大いに満足する。

丼の表面は、チャーシューもメンマも本来居るべきところから片寄せられ、〝ラーメンの領地にワンタン一族が大挙して押しかけた〟という感じになっていて、客の満足度

はかなり大きい。

特に〝大挙して〟というところに大いに感激する。

最初は、この丼の大家さんとしてのラーメンに敬意を表し、表面を掻き分けて麺を掘り出し、一口すすってただちにワンタンにとりかかる。

この、とりかかりかたが面白いんですね。

ワンタンを一個、続いてもう一個。

麺とスープをせわしなくすすって、さらにもう一個。

いつのまにか、まるで〝ワンタン退治〟というような気分になっている。

早くワンタンを片付けて、丼の陣容を〝ラーメン本来の姿に取り戻したい〟という願望がわいてくるのだ。

ラーメン民族としての純血が、ワンタン一族との同居を、知らず知らずのうちに拒んでいるのである。

それが、わざわざ呼び寄せておいて退治する、という姿勢につながっているのである。その姿勢を察知するから、ワンタンは逃げまわるのだ。

退治されまいとして、丼の中でデロデロと逃げまわり、口の中に入るときも逃げまわり、口の中でビョロビョロと逃げまわり、行きどころを失って口の奥のほうに逃げていって、ノドのところからニョロニョロと落ちていく。

このときの、ニョロニョロ感、フワフワ感が、まるで雲を呑むような気分であるところから雲呑と名づけられたといわれている。

雲呑のほかに、餛飩という字をあてはめる人もあり、餛飩は最初、混沌が使われていたとの説もある。

たしかにワンタンは混沌そのものである。

ラーメン丼の中に、たとえば八個入っているワンタンは、八個の一人一人を特定するのが困難だ。

ぼくとしては、その一人一人を、これはAさん、これはBさん、と特定しながら食べ

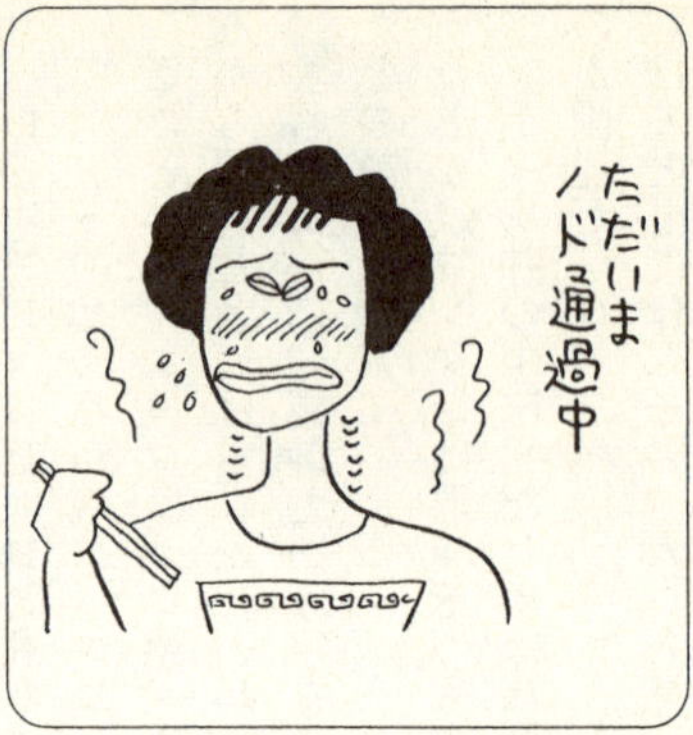

ていきたいのだが、ワンタンはそれが非常にむずかしい。

あるものはくっつき合い、あるものは大破しており、またあるものは破片となっている。

ぼくとしては、八個のワンタンを、一個一個、きちんとケリをつけながら食べていきたいのだがそれがうまくいかない。

大体、ワンタン一族には個人という概念がないのですね。

一個ずつ食べたいのに、中心部分の肉のところが二個くっついていたりするから、二個いっぺんに食べなければならない。

デロデロと浮遊するこの破片は、いったい誰に帰属するのか。

いったい誰からはがれたのか。

「それがはっきりわかるとどうなるのか」

と言われると困るが、個として出発したものは個を全うしてもらいたい。

ま、しかし、たまに食べるワンタンはなかなかいいものですね。

麺のような扱いを受けてはいるが麺ではない。

水ギョウザに近いがギョウザでもない。

たまに〝具タップシワンタン〟を売り物にしている店があるが、客はかえってとまどう。

ワンタンは、あくまで、あのデロデロの皮の感触を味わうものだ。

〝具チョビ皮デロ〟がワンタンの命だ。

麺のように、コシとか歯ざわりとかにはいっさい関知しない。粉製品の中で唯一そういうことを主張しない〝半コシ精神〟の持ち主なのだ。

ただひたすらニョロニョロと生きているのだ。

あのニョロニョロは、どうやって食べるのが正しいのだろう。

　みんなどういう食べ方をしているのだろう。
　ワンタンをあなどって食べて、ひどい目にあった人は多いはずだ。
　スープの中のワンタンは驚くほど熱い。その上、性格はニョロリとしている。
　熱々のワンタンメンが到着して、とりあえずスープを一口、なんて思って熱い丼を持ち上げ、一口すすったとたんワンタンがニョロリと口の中に流れこみ、目を白黒、次に赤黒、このまま飲みこむべきか、吐き出すべきか、迷っているうちにニョロリとノドを通過し、熱いワンタンの人体の通過感を、逐一味わった人は多いにちがいない。

それを防ぐ方法として、レンゲを使用する人もいる。ワンタンの中央部（肉部）を箸でつまみ、その下にレンゲをあてがってスープと共にすすり込む、という方式である。

もう一つは、丼のフチに口をつけ、目でしっかりワンタンを追いながら箸でおびき寄せてスープと共にすすりこむ。

一個だけおびき寄せようとしているのに、もう一個が流れ寄ってきてしまい、そいつを箸で引き離そうとすると、こんどは大小多数の破片が近寄ってきて、いったん丼を平らにして態勢を立て直す、なんてこともよくありますね。

ギョーザバーガー出現す

まさかの「ギョーザバーガー」が出たの知ってますか。ついに出たんです、お茶の水で、大々的に、堂々と。

ギョーザバーガーばかりでなく、チャーシューバーガー、四川ナスバーガーなども同時にデビューしました。

つい先日、JRの御茶ノ水駅を出て、明大前の通りを三省堂のほうに向かってズンズンと歩いていったらですね、ものの数分と歩かないうちに、緑色の旗がヘンポンとひるがえっていて、その旗に「中華バーガー」という字が大書してある。

あの通りは、通った人なら誰でも覚えがあるが、どうしてもズンズンという歩き方をしてしまうのですね。

なぜかというと、あそこは下り坂になっているからで、最初のうちはみんな静かに歩

いているのだが、いつのまにか、気がつくとズンズンになっている。そのズンズンになりかかるあたりに、その旗はひるがえっているわけです。

店の造りは、マクドナルドやロッテリアなどとまったく同じで、メニューだけが〝中華〟になっている。店名は「CHAW'S」で、チャイニーズ・ファーストフードという説明がついている。

この店の〝バーガー〟の部分は、中華マン風のフワフワした白いパンで、これをパオと称している。メニューの「中華バーガー」の部には、チャーシューパオ、チキンサラダパオ、ギョーザパオ、四川ナスパオなどがある。

「中華粥《がゆ》の部」もあって、これはコンギーと名付けられ、ザーサイコンギー、チキンコンギー、シーフードコンギーなどがある。その他、スペアリブの一本売り、中華サラダ、中華スープ、マンゴープリン、杏仁豆腐などがラインアップされている。

店頭のメニューを見ながら、

「うーん、どうなんだろ、こういうメニューの店は」

と中をのぞくとですね、これが満員なんですね。

客の九割が女性で、この近辺の大学生ばかりだ。

とにもかくにも、ぼくはズンズンを中止して中に入った。

〝チャイニーズ・ファーストフード〟だから、カウンターの中の店員は、当然チャイナ服かと思ったら、マクドナルドと同型の帽子にナナメジマのネクタイだった。

とにもかくにもギョーザパオ、それからチャーシューパオ、ザーサイコンギーにスペアリブ、春雨サラダをオーダーする。

ギョーザバーガーとはどんなものか。

あ、その前にですね、ふと思ってしまったことなんですが、このギョーザバーガーとか、チーズバーガーとかいう言い方、これでいいんでしょうか。

ハンバーガーの名称は、誰でも知っていることだが、ドイツの都市名ハンブルクの英語読みからきている。

バーガーそのものには何の意味もない。ハンブルクを半分にちょん切った下半分だ。都市名の下半身を、チキンとかチーズとかにくっつけて使ったりしていいものなのか。

ワシントンで言えば、ワシとントンとにちょん切って使っているようなものだ。京都で言えば、キョとウトに分けたようなものだ。神戸ならばコとウベに分けたようなものだし、津という市は分けられないが、こういう場合はどうなるんだろう、という話

お粥をすすっているうちに泣いてしまった田中サン

はこれぐらいにして本題に戻ろう。

ギョーザバーガーとはどんなものか。誰もが、

「あのギョーザをどうやってパンにはさむんだろ」

と思うでしょ。

窮すれば通ず、まずですね、ギョーザの形を変える。

丸くて扁平で、ちょうど厚手のセンベイみたいな形にする。

厚手のセンベイの中には、ちゃんとギョーザの具が扁平に入っている。

でもって、これにパン粉をつけて揚げるわけです。

できあがったものは、そうです、メンチカツそっくりです。

「そんなものギョーザと言えるか」

と言ったって、相手がギョーザだと言ってるんだからどうにもならない。

このギョーザが、中華マンの皮風のフワフワした白いパンにはさんである。

「そんなものハンバーガーと言えるか」

と言ったって、向こうがハンバーガーだと言っているのだからどうにも太刀打ちできない。

おじさんとしては、はなはだ情けない気持ちでこの中華バーガーを食べましたね。もともとハンバーガーというものは、食べているうちに情けない気持ちになりがちなものではありますが……。

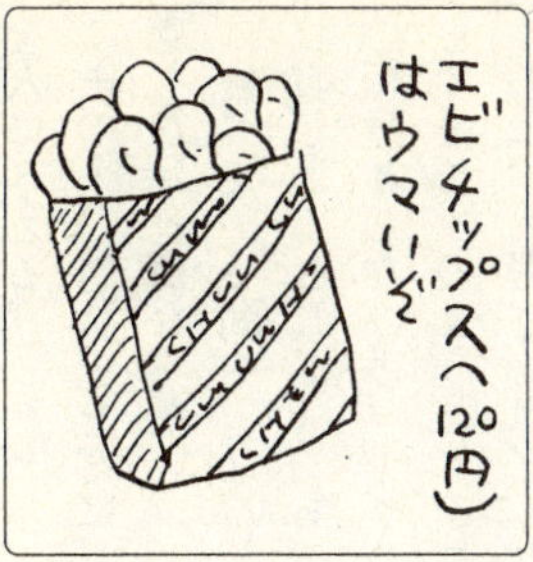

ハンバーガーの包装紙をほどき、一部分を露出させ、紙のところを両手で持ってかじると、どうしてもうつむくことになり、目を伏せることになる。
そのまま周りを見回すと、どうしても上目づかいになる。
上目づかいというものは、なんとなく恨みがましい感じがあり、そうした全体のポーズは、なんとなくいじましい感じを人に与える。

その上、包装紙を常にゴソゴソさせて、露出量と、手で保持している部分の均衡を考慮しなければならない。

食べている間中、なんとなく紙をゴソゴソさせているわけですね。

おじさんとしては、あそこのところがなんとなく釈然としないわけです。

釈然としないギョーザバーガーを、釈然としない気持ちを抱きながら食べ、白いお粥をオモチャのようなプラスチックスプーンですくっては食べ、すくっては食べしているうちに、おじさんはどんどん、どんどん、情けない気持ちになっていったのです。

魚の頭カレーを食す

ぼくらが子供のころのカレーの具は、まずお肉だった。

お肉、ジャガイモ、ニンジン、タマネギ。きっぱり、これだけだった。

お肉はカレー用のお肉というものが売られていて、これは豚肉の角切りで、ちゃんと「カレー用」という表示をして売られていた。このころのカレーは、これ以外の素材の参入を許さなかった。

このカレーの〝純血の時代〟はかなり長く続いた。ぼくが高校生のころ、ポークカレーばかりでなく、ビーフカレーというものもあることを知った。それからしばらくして、チキンカレーの存在を知った。マトンカレーも出現した。

ま、このへんまでは納得できた。

「ま、許す」

そういう気持ちだった。

そのうちシーフードカレーというものが現れた。カレーにイカやエビやホタテ貝が入っているのだ。これは「許せない」と思った。サッカーのラモス選手が、「ニッポン人ならお茶漬やろが」と怒るように、「カレーならば肉やろが」という怒りがこみあげた。しかし、まあ、肉の代わりに魚介の肉を使っているのだ、と考えれば、許せないこともないな、と思わないでもなかった。

そうこうしているうちに、野菜カレーというものが現れた。ナスだけのナスカレーなんてものも現れた。これだけはどうしても許せなかった。

ドイツにはビール法というのがあって、ビールの材料を限定しているように、カレーにもカレー法というものを作るべきだと思った。「肉の入ってないカレーはカレーとは認められない、やろが」という法律だ。

それから以後のことは、読者諸賢ご承知のように、なんでもアリ、の時代になった。マメカレー、納豆カレー、トマトカレー、どんどん異端が参入してきた。純血の時代は、とうの昔に終わったのだ。

そうして最近、ついに異端界の大物が参入してきたのである。その大物は、

「そんなの居たんかい？」

というほどの超大物、魚の頭であった。魚の頭がカレーの具として参入してきたというのだ。

そういえば、イカやホタテやエビのカレーはあるが、魚の切り身が入ったカレーというものは、見たことも聞いたこともない。切り身のカレーさえなかったところに、いきなりもっと過激な頭が登場したというのだ。魚の頭ということは、つまりアラということだ。

こうなったら、おじさんはもう何が登場してきても驚かないぞ。カレーの中にカエルが入っていようが、スッポンが入っていようが、タワシが入っていようが、下駄が入っ

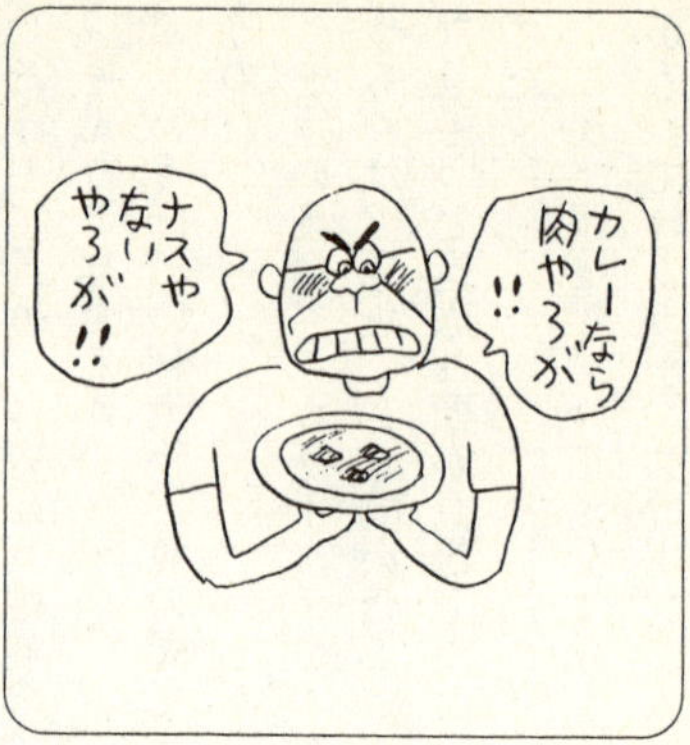

ていようが驚かないぞ。下駄カレーなんて、いいダシが出て案外いけるかもしれないぞ。

「コートロッジ」という新宿にあるスリランカ料理の店に、魚の頭カレーはあった。そうしてですね、この店には、〝魚の切り身カレー〟もあったのです。

　スリランカというのは、インドに次ぐカレー王国なのだそうだ。雁屋哲氏の「美味しんぼ」にも、スリランカカレーが出てくる。スリランカのカレーは、そのあたりでモルジブフィッシュと言われているカツオ節でダシを取るそうだ。モルジブでは、日本と同じようなカツオ節をつくるそうだ。

　この店は、接客から厨房まですべてスリランカ人が切り盛りしている本格的なスリランカ料理の店だ。

　メニューを見てみよう。マトン、ポーク、チキンと並んで、ありました、魚の頭カレー（九〇〇円）そして魚カレー（一五〇〇円）。ビーフカレー（一三〇〇円）、野菜カレー（一五〇〇円）、シュリンプカレー（一八〇〇円）という中にあって、魚の頭カレーの九〇〇円は一番下のランクだ。

サラリーマンの名刺の肩書に、次長待遇とか課長待遇というのをときどき見かけるが、魚の頭はスリランカでも〝アラ待遇〟を受けているのだろうか。魚カレーと魚の頭カレーを注文して、「さあ、こい」と待っていると、やってきました頭と身体が。魚の種類は頭も身体もサワラだ。となれば、一匹のサワラから身を取ったあとの頭を利用した安いほうのカレーが頭カレーだな、と誰もが思うが、そうではないようだ。色も味も、別のソースのカレーなのだ。

身体カレーは色が赤く、味もマイルドなインド系のカレーだが、頭カレーのほうは色が黄色くてかなり辛くて、ややナンプラー系の味がするタイ系のカレーだ。頭カレーは〝アラ待遇〟ではなくて、〝身体カレー補佐〟といったあたりに相当するようだ。身体カレーのほうは、サワラの切り身が二つ入っていて、一見、サバの味噌煮風だ。煮汁たっぷりのサバの味噌煮だ。そして味噌煮の味噌が黄色いカレーだと思えばいい。味はまさにサワラのカレー煮だ。

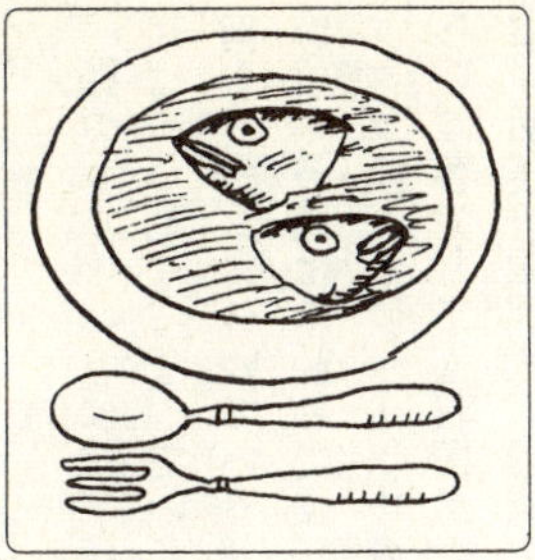

これを食べて思ったのだが、サバも味噌煮ばかりでなく、たまにはこうしたカレー煮にするのもわるくないのでないか。ソースのほうはサラサラ系のやや甘口、特に〝スリランカ〟を感じさせない、わりに一般的なインド風マイルド系カレー

だ。

頭カレーのほうには、はっきり魚のダシが出ている。ほんの少し、内臓系の味もする。頭は二つ割りになっていて、きれいに掃除してあるが、目玉はそのままついており、頬肉もそのままついている。サワラの頭はどちらかというと細面、うりざね系なので、ついている肉はきわめて少ない。

スプーンとフォークで食べるのだが、これでは目玉がほじりづらい。頬肉がはずしづらい。苦労しても収穫が少ない。そこで思いましたね。これを鯛の頭でやったらどうかと。目玉の眼肉大、頬肉大、エラ肉大、収穫大、ダシももっと出るし、きっとウマいにちがいない。ソースに魚のダシの味を感じたのは、先述のモルジブフィッシュのダシのせいかもしれない。

スポーツバーにて

「スポーツバー」というのを知っていますか。

こんどの〝大リーグの野茂フィーバー〟の衛星中継で、ときどきテレビの画面に登場するようになったバーで、要するに、テレビのスポーツ中継を見ながらビールなんかを飲むバーのことです。中継ばかりでなく、ビデオも映すので、実際にスタンドに行けない人とか、昼間はお勤めで時間が合わない人なんかにも重宝がられている。

バーの中はほとんどスタンド気分で、NOMOがサンシーンをとったりすると「ワーッ」とわきかえる。

ビールのグラスがぶつかり合い、ポップコーンの大カップが人から人へ渡ったりする。テレビの画面で見る限りでは、客はほとんど男で、ほとんど大人のようだ。スポーツバーのウリは、観戦気分、スタンド気分、これに尽きる。

日本にもああいうスポーツバーがあったらいいな、ああいうとこで野茂投手が投げる大リーグのゲームを観ながらビールを飲んだらいいだろな、と思っていたら、日本にもスポーツバーがある、というんですね。

元後楽園球場の跡地、すなわち東京ドームのすぐそばに、かなり大規模なスポーツバーがあった。

その名も「ベースボールカフェ」という。

店のコンセプトは、「フィールド・オブ・ドリームス」の世界のような、古き良き時代のアメリカの大リーグの再現、というようなことのようだ。

アメリカン・グラフィティ風にポニーテールを結った女の子が、昔風のユニフォームを着てサービスに走り回っている。入口のところには、往年の名選手のセピア色の写真や古ぼけたグローブなどが並べられていて、店のパンフレットには「店内は憧れの選手たちが今にも現われてきそうなアメリカンドリームの世界！」とある。

ニューヨーク・ヤンキース風の、ペンシルストライプのユニフォームを着たアメリカ人が「サービスデス」と言って丸いボックス入りのポップコーンを渡してくれる。

そうなんです、大リーグ観戦にはポップコーン、相撲見物にはヤキトリ、万里の長城見物にはシューマイと決まっているものなんです。ホントカネ？

大ホールとでもいうような広い店内の高い天井には、大小様々な星条旗、ゆっくりと回る扇風機、そして大画面テレビとふつう画面テレビが無数にある。なかなかいい雰囲気なんですね。とにもかくにも生ビール。

「大ジョッキでね」

「それから、このベーブ・ルースステーキとアメリカナマズのグリルと、エート、それからチキンソフトタコス」

夕方六時半、折しも大画面では、大リーグのオールスターゲームが始まるところだ。野茂投手が、子供たちの一人一人に握手をし、カナダ国歌とアメリカ国歌が歌われ、ノ

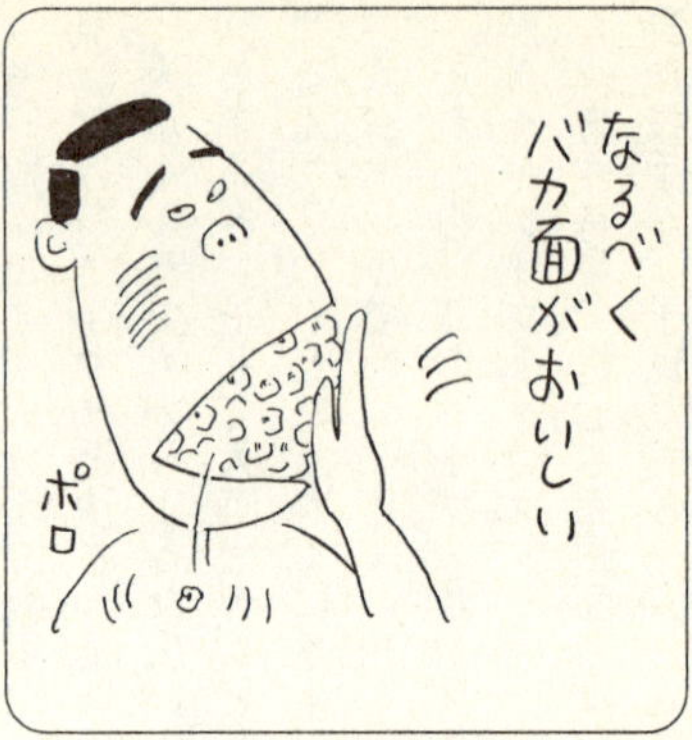

ーラン・ライアンが始球式をしていよいよ野茂投手の第一球が投ぜられた。

一番ロフトンに対する初球は高めの速球でボール。四球目、内角低めのフォークで三振に打ちとると、店内は地軸をゆるがすような「ワーッ」という大喚声が、と思いきや、なんと、だーれもテレビの画面を見ていないんですね。

「ナンダコリャ」

と思って、改めて店内を見渡すと、客の大半が十代で、しかも女の子が七割。女の子がグループで来ているのが多く、あとは男女グループ、アベック、最高年齢は二十代後半まで、最多観客帯は二十歳という世界なのであった。

人々は、テレビの画面と一切関係なく、生ビールとタコスとピザとパエリア風ピラフ、アイスクリームの世界にひたっているのであった。

これほど店側のコンセプトと、客側の理解が食いちがっている例はめったにあるまい。食いちがってはいるが店内は満員なのである。食いちがってはいるがうまくいっているのである。最多観客帯をはるかに突破したおじさんは寂しかった。

スタンド気分で、肩を組み合って、野茂の活躍を共に喜び合いながら生ビールを飲みたかった。

こうなったら、スタンド気分を盛りあげるには、生ビールとポップコーンを供とするよりほかはない。

ポップコーンの丸いボックスに手を突っ込む。

突っこんで、モゾモゾとさぐり、つかみ、このぐらいかな、いや、もう二、三粒、ちょっと多かったかな、と、すべて手探りで調節する。

この手探り、というところが大切で、ポップコーンは見てはならない。

見ると急にまずくなる。

ポップコーンのデザインはこれでなくっちゃ
POP CORN

ちょうど寿司職人が、シャリを手で調節しながらつかみ取るのに似ている。

手でつかみ取ったポップコーンを、一気に口のところへ持っていき、ムギュムギュと押し込み、押し込んだのがこぼれないように手のひらでフタをする。この、手のひらでフタをしながらムギュムギュと噛むところがポップコーンの味なんですね。

手のひらでフタをするとき、一粒か二粒、口の端からこぼれ落ちるが、それを意に介してはならない。

口の端からこぼれるところがポップコーンの味なんですね。

もちろん、こぼれたのを拾ってはいけません。食べ終えたとき、足元に十五粒、というのがポップコーンの正しい食べ方なのです。

それから〝バカになりきる〟というのもポップコーンをおいしく食べるこつです。

うんとバカ面して、うんと上のほうを見て、うんと大口あけて、うんとたくさん放り込むと、ポップコーンはおいしいのです。

肉じゃがは正悟師か

知らない居酒屋に入って、メニューをずうっと見ていって、「まぐろ刺し」とか「いかそうめん」とか「馬刺し」とかがあって、その横にさり気なく「肉じゃが」なんてのがあると、なんとなくホッとすることってありませんか。

「おう、居てくれたか」

と、都会のジャングルの中で、ふと同郷の友に会ったような安心感を覚える。

「とりあえずこれを〝抑え〟にして」

と、すっかり安心して、次の〝先発〟と〝中継ぎ〟を考えることになる。

「先発の枝豆、おう、居た居た」

ということになり、それ以降の試合運びが順調になる。

肉じゃがは、居酒屋の不動のメンバーであり、実力者であり、古老であり、正大師は

ちょっと無理だが、正悟師ぐらいの地位は獲得しているようにみえる。

地位も名誉も安定し、いまさらジタバタする必要は少しもない。

大きくも、小さくもない器の中に、角が取れてホクホクと煮あがったじゃがいもが三つ。そこに寄り添うように豚肉あるいは牛肉の小片が見え隠れし、その両者をとりなすように玉ねぎが身をひそめている。

めしのおかずにはならず、かといって箸休めというには大物過ぎ、うん、そう〝箸休め界の巨頭〟という表現が適切かもしれない。

砂糖と醤油で煮た甘からのじゃがいもは、あのときのじゃがいもに、砂糖と醤油がしみこんでいるはずなのに、その経過を消し去っている。

あのときのじゃがいもとは、ただ茹でただけのじゃがいものことだ。

砂糖と醤油が、じゃがいもの内部にとどまらず〝通過して行った〟という味の付き方だ。

そしてそこに、そこはかとなく漂う肉の香り。

肉のほうには、一見、じゃがいもの影響はないようにみえる。

しかし、朴訥なじゃがいもと付き合ったせいか、角が取れて肉の人当たりが丸くなっている。

このように、肉じゃがの世界は、内部的にも対外的にも安定し、その周辺に何の問題もないようにみえる。

はたしてそうか。

一見、平和そうに見えて、何の問題もないように見える家庭が、実は嫁と姑の問題で揺れに揺れているという例もある。

まず、肉じゃがというネーミングに問題はないか。

肉じゃが。何という素晴らしいネーミングであろう。親しみがあり、人に安心感を与え、朴訥の気味もあり、これに足すべきもの何一つなく、引くべきものも何一つない。

ゆるぎなく完成された、ネーミングの傑作、と誉めたたえる人もいる。

しかし、よく考えてみると、これは名詞を二つ並べただけじゃないか、ということもできる。

最近、「鈴木、山田」と、二つの名前を並べた二世帯住宅をよく見かけるが、あれと同じことではないか。

さらに、肉とじゃがいもであれば、当然、肉じゃがいも、でなければならない。「鈴木、山」と、山田の田が抜けているのだ。

それでなくても、二世帯住宅は何かと揉《も》めがちだということをよく聞く。田を抜かれた山田さんが、この問題をこのまま済ますとはとても思えない。

さらに肉じゃがは、一見二世帯住宅に見えるが、実は玉ねぎというもう一世帯が同居しているのだ。

本来ならば、「肉じゃが玉」と言うべきなのだ。

「山田、鈴木、渡辺」と三世帯が同居しているのに、門の表札から渡辺を抜かれて黙っている渡辺さんがいるだろうか。

渡辺さんと玉ねぎは、連帯して地位保全の仮処分を申請すべきなのだ。

肉じゃがにはまだまだ問題がある。

肉じゃがか、じゃが肉か、という問題である。

なぜ、量的にも少ない肉のほうが、じゃがいもより優先的に上にきているのか。

順序、序列は大切である。なにしろその人の名誉がかかっている。

最近では、宮沢りえちゃんが、誰だったか忘れたが、ポスターの序列が誰某《だれそれ》より下だといって役を降りた例があるほどだ。

なぜ肉のほうがじゃがいもより地位が上なのか。

もし、じゃがいもがゴネて、

「降りる」

と言ったら、肉じゃがの世界そのものが根本的に崩壊するのだ。

「いや、大体ですね、世間一般的に、肉と何かを煮た場合は、肉が先にくるようですね。たとえば肉豆腐とか」

などと反論しても、

「ではそのほかの例は？」

と訊かれて、

「肉……」

と絶句することになる。

肉じゃがと肉豆腐しか、さしあたって例を提示することができない。

さらに、肉じゃがの肉は牛肉か豚肉か、という問題もある。大体、関西が牛で、関東は豚ということになっているようだが、名古屋あたりはどうなっているのか。

さらに、肉じゃがには、ホックリ煮上げタイプと、汁たっぷしビショビショタイプがあるがどちらが正統なのか。

一見「平和で安定していて、地位も名誉もあって何ら問題とすべき点はない」と見えた肉じゃがの世界も、二世帯同居問題、玉ねぎ問題、地位保全問題、渡辺問題、宮沢問題、牛豚問題、ホックリ問題、と、実に様々な問題をはらんでいたのであった。

大阪「自由軒」のカレー

テレビやガイドブックでしばしば紹介され、誰もが、

「どんな味なのか」

と思い、

「一度食べてみたい」

と思っている名物料理は数多くある。

東京は日本橋の「玉ひで」の親子丼。池袋は「大勝軒」のラーメン。浅草の「美家古寿司」の、仕事のしてある寿司。そして、大阪は「自由軒」の名物カレーなどなど。

「自由軒」のカレーは、カレーソースとライスが、店側によってすでに混ぜられていることで有名だ。

それからもう一つ、「夫婦善哉《めおとぜんざい》」という小説で有名な作家織田作之助が、この〝すで

混ぜカレー〃を愛好していたということでも名を知られている。「自由軒」の〃すで混ぜカレー〃とはどんなものなのか。

つい先だって、ついに「自由軒」を訪れる機会を得た。

「自由軒」は予想していたより大きな店だった。特別の店ではなく、近所の人が〃ふだん使い〃にしている店だった。「いつも来ている客」が、「いつも食べてる顔」で名物カレーを食べていた。

そしてですね、このカレーを、店側が堂々と「名物カレー」という名でメニューに載せているんですね。

ふつう、こういう言葉って、外部の人が、ある種の尊敬を込めて使うような気がするのだが、ま、わかりやすくて話が早い、という点ではいいかもしれない。

というのは、この店は、この「名物カレー」のほかに、混ぜてない「別カレー」と、「ドライカレー」「エビカレー」「野菜カレー」などがあるわけです。だから客は、照れることなく「名物カレー！」と注文し、店側も照れることなく堂々とそれに応じる。

ところがですね、注文を受けたオバチャンは、厨房には「インディアンカレー一丁」と伝えるわけです。

なんだかよくわからないが、これでうまくいっているのだから外部の者が文句をつける筋合いのものではない。

「名物カレー」を注文した客には、青い線が横に二本入ったコップでおひやが渡される。

この店はカレーのほかに、トンカツとか、ハイシライス（ハヤシ）とか、オムライスもある。エビフライも定食も串かつもあるから、この二本の線で、「名物カレー」の客と、その他の注文の客を見分ける目印にしているのだ。

しかし青い線は、一本だけで十分な目印になると思うのだが、これまたこれでうまくいっているのだから、外部の者がとやかく言う問題ではない。

やってきました「名物カレー」が。

白いお皿の上に、こげ茶色のカレーがドライカレー風に丸くまとめてあって、そのま

ん中をくぼませて生卵が落としてある。

「卵の上からソースをかけると、味がまろやかになっておいしですよ」

とオバチャンが、おいしいのい抜きでアドバイスしてくれる。

卓上のウスターソースをかけ、生卵といっしょにグチャグチャと混ぜる。

しかし、よく考えてみれば、〝カレーとライスが店側の手によって混ぜてあって手っ取り早い〟ということで名物になったのだから、いっそのこと生卵も混ぜて出したほうがいいのではないか。しかし、これまたこれでうまくいっているのだ。

では一口いってみましょう。

いきなりツンと鼻をつくのはカレー粉そのものの香りだ。口の中でピリリと辛いのはカレー粉そのものの味だ。

ライスは硬めで、ときどき歯に当たるのは大豆粒大の肉で、ときどきシャリシャリと音をたてるのは、ほとんど生の玉ネギのみじん切りだ。

「名物カレー」の作り方はこうだ。

①牛肉と玉ネギを炒め、カレー粉と特製のルーを加える。

②ライスを入れよく炒め、水気が飛んでドライカレー状になったらできあがり。

この店のメニューにある「別カレー」は、どこにでもあるスタイルのカレーだ。皿の上にライスが盛ってあって、その横にドロリとしたカレーがかけてある。「名物カレー」は、その両者を単に混ぜたものではない。色もちがうまったく別のカレーなのである。

そして、ここでは福神漬のたぐいを出さない。ふつうのカレーの食べ方は、ライスとカレーを自らの手で少しずつスプーンで混ぜ、程よく混ざったところですくって口に入れ、それを嚙みながら次の一口のためのカレーとライスの混合を行い、そしてときどき福神漬をスプーンの先で追いつめてすくいあげ、ポリポリと味わう、というようなことになるのだが、「名物カレー」は、混ぜ混ぜの部分がない。

ポリポリの部分がない。

ただひたすらスプーンですくって口に運ぶだけだ。単調といえば単調だが、勝負が早いといえば早い。客にも店にも大阪特有のいらち（せっかち）の気味がある。

四十席ほどの店内の客に、オバチャン三人で対応している。

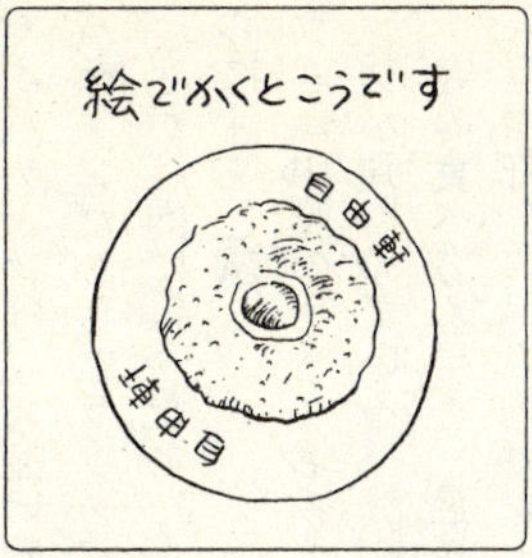

オバチャンは、お揃いの紺のエプロンをしているが、ブラウスは自前だ。(大阪のオバチャンだからブラウスはハデでっせ)

客が店内に入ったとたん、オバチャンの一人が飛んでいって、客がまだすわらないうちに注文を訊く。

客は中腰のまま「名物カレー」と言い、尻がイスについたときにはもう青線入りのコップが到着している。

客の食べ方も早く、最後の一口はモグモグしたまま立ちあがってお勘定に向かう。

「自由軒」の「名物カレー」は、大阪のいらちが生んだカレー、と言えるのかもしれない。

平成のすいとん

終戦記念日の八月十五日の夜、渋谷の街をなんとなくブラブラ歩いていたら、何という偶然だろう、すいとんを売り物にしている小料理屋風の店を発見した。なんて書くと、

「話をつくるな、コノー」

「ウソこくな、コノー」

と、〝コノーの嵐〟が吹き荒れるにちがいない。

本当のことを書きます。

実をいうと、その店は、ことしの五月ごろすでに発見していたのだった。

渋谷のセンター街の入口あたりにある店で、店の入口のところに、「すいとん・お茶漬」の文字が大きく貼り出してある。店の名は「蓼科《たでしな》」で、若い人であふれているこの通りにはそぐわない、サラリーマンのおじさん御用達風の店なのだ。

終戦記念日だからメニューにすいとんを加えた、というわけではなく、一年中すいとんが食べられる店のようなのだ。

五月ごろにこの店を発見したのだが、中には入らず、

「このネタは八月の終戦記念日あたりまで温存しておこう」

と思った。

毎年八月十五日ごろになると、終戦当時の、いわゆる代用食の話題が浮上してくる。

そうすると、必ず登場するのがすいとんだ。

終戦当時の食糧難の苦しみを体験した世代もいまや少数派となった。

フスマ団子、芋めし、カボチャめし、農林一号、などと言っても通じない世代ばかりとなった。

当時たくさんあった代用食の中でも、すいとんはとりわけまずかった。

当時はウマいものなどどこにもなく、まずいものばかりだったが、それでもすいとんは特にまずい、ということがわかるぐらいまずかったのである。

むろん当時は、山本益博氏のようなウマいもの評論家はいなかった。

もし、そうした職業の需要があったとすれば、それはむしろ〝まずいもの評論家〟のほうだったにちがいない。

「どこそこのすいとんは、口の中でニッチャリとしてまずい」

なんて評論が成り立ったかもしれない時代だった。

すいとんはとにかくニッチャリしていた。ニッチャリしていて、古い湿った倉庫の奥のほうにしまってあった穀物の、カビくさいような味がして、子供心に一刻も早く飲みこんでしまいたいと思ったものだった。

そのすいとんが、この飽食の時代に、若者の街の渋谷で、ずっと生きのびていたのだ。

しかもお茶漬とともに、その店の売り物になっていたのだ。

八月になって、頃やよし、と、ぼくはその店に出かけて行った。

山小屋風のガラスのドアを開けると、いきなり急な階段になっている二階の店で、愛

想のいいママさんと若い女の子二人がカウンターの中にいた。

筍の煮たの、レンコンの煮たの、イナゴの佃煮などをつまみに一杯やる店のようで、客はほとんど常連のようだ。ママさんは小ぶとりでおっとりしていて、すいとんをメニューに加えた理由は、

「開店当時、なんとなくおもいついてメニューに加え、なんとなく売り物になっていった」

という、なんともしまりのない経緯なのであった。

すいとんを注文する客はサラリーマンのおじさんばかりではない。

「どんなものか一度食べてみたい」

というカップルの客や、

「おばあちゃんに一度作ってもらって食べたことがあるので」

という若者なども多く、

「毎晩誰かしら注文する」

という人気メニューの一つなのだ。

カウンターだけの狭い店なので、すいとんは客のすぐ目の前で作られる。ボールに小麦粉を入れ、卵と水で練る。かなりゆるめに練る。ツユのほうは味噌味で、キャベツ、サヤインゲンなどを入れ、鰹ダシを入れて煮たったところへ、大きめのスプーンで練った小麦粉をすくってすべりこませる。そうであった。スプーンですくって入れたのだった。

昔の記憶がよみがえる。

母親がスプーンですくって入れるのを、子供たち一同がとり囲んで逐一見守っていたのだった。

そういえば当時は、食べ物を作る母親を、すいとんに限らず、子供たちはいつも見守っていたものだった。

食事づくりは、当時の子供たちの最大の関心事であったのだ。

「蓼科」のすいとんは、煮あがったものを器に盛り、最後に糸がつおをふる。作り方は簡単だが、これが意外にウマかったのである。酒を飲んだあとなどは、特にウマいにちがいない。

すいとんは少しもニチャニチャせず、小麦粉としての味が

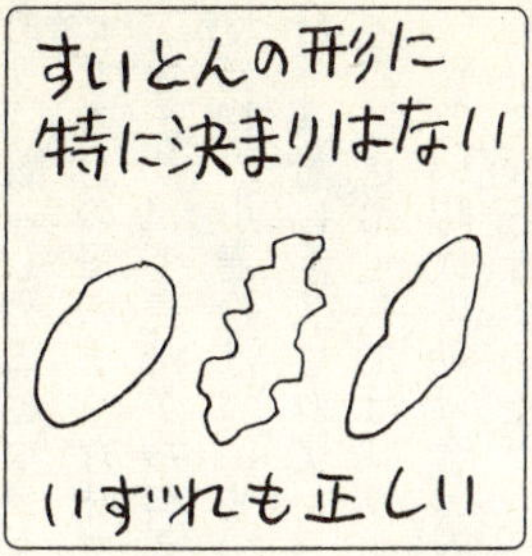
すいとんの形に
特に決まりはない
いずれも正しい

あり、嚙みしめるとワンタンの母のような味であり、きしめんの母のような味であり、ピザの台の母のような味であり、命の母の母のような味がする。

つまり、小麦粉がちがうのだ。当時の小麦粉と、小麦粉がちがうのだ。

当時の小麦粉は、いまのように精製されておらず、本来なら取り去るべきフスマの部分も多量に混入されていたにちがいない。

おじさんとしては、ウマいすいとんが残念であった。

貧しい時代に助け合った友が、急に成りあがって態度もよそよそしくなったように思われてならなかった。

それよりなにより、

「終戦当時苦しかったっていうけど、こんなにおいしいものを食べていたの？」

と、いまの人たちに言われるのがつらい。

ソース二度づけ厳禁の店

「ソース二度づけ禁止の串かつ屋」

というところへ、もう、ずうっと前から行ってみたいと思っていた。

「ソース二度づけ禁止の串かつ屋」とはどういう店かというと、ふつうの串かつ屋は、カウンターにソース入れが並んでいて、それを自分の串かつにかけて食べますよね。

ところが、この「ソ二禁」（ソース二度づけ禁止の略）の店では、カウンターにソース入れがない。その代わりに、弁当箱みたいなものがいくつか置いてあって、それにソースがたっぷり入っている。このソースは二、三人の客の共用で、客はかわるがわるその弁当箱に串かつを突っこんでソースをつけて食べる。

一人の客が一回突っこんで串かつをかじり、残りをもう一回突っこむと、当然共用のソースの中にその人の唾液が混じる。それを防ぐために、ソースの二度づけが禁止され

ているのだ。

店内には、「ソースの二度づけはお断りします」という貼り紙が大きく貼ってあるという。

どうです、面白いでしょう。

ぼくはこの目でジカに、その有名な貼り紙を見てみたいと思った。そして、この手でジカに、その有名な弁当箱に、自分の串かつを突っこんでみたいと思った。

「ソ二禁」の店は大阪にある。

大阪は通天閣の近くのジャンジャン横丁の中にあり、首に手ぬぐい、足に地下足袋のオッチャンが、競馬新聞かなんか読みながら、

「ニイチャン。生ビールと串かつとタコくれへんか」

と、しゃがれ声で言ってたり、買い物帰りのサンダルばきのオバハンが、

「生しいたけとジャガイモとウインナとチクワ二本ずつ揚げてんかー」

と言って包んでもらって持って帰ったりしている店だという。

ワシ、好きでんねん、こういう店。で、行きましてん。

「ソ二禁」の店は「八重勝」と言い、小さな店ばかり並ぶこの横丁の中で、間口三間の大きな店だ。

コの字形の大きなカウンターのみの店で、コの字の内部はかなり広く、ここに二つの揚げ鍋があって、八人のオッチャンとオニイチャンが威勢よく働いている。天井が高い。

ふつう、こういう店で働く人は、白い長靴を履いているものだが、ここの八人は全員がスニーカーだ。スニーカーが何とも軽快な感じを与える。

夕方の五時半ごろ行ったのだが、店内はほぼ満員で、やっぱり大勢いました、手ぬぐいのオッチャンが。

カウンターに客が全部並ぶと約三十名ほどで、ネクタイの三人づれとか、OL四名とかも混ざっていて、思ったほどガラはわるくない。しかし、接待なんかにはあんまり使わないほうがいい、という雰囲気はあって、もちろんカード不可の店であることはいうまでもない。

カウンターにすわって、ずうっとこう店内を見回していくと、ありました、あの有名な貼り紙が。正面左の隅に神棚があって、その右にクーラーがあって、その下に、

「ソース二度づけおことわり」

と、けっこう高飛車に掲示してある。カウンターの上には、ありました、あの伝説の弁当箱が。その数およそ十数個。ドカ弁より一回り大きく、その中にダブダブとソースが六センチぐらいの深さで入っている。

生ビール中ジョッキ、四五〇円。一般の中ジョッキより一回り大きい。

とにもかくにも生ビール。

エート、それから、うん、串かつが三本ワンセットで二七〇円。さらに、ウインナーと卵とナスがいずれも一本一〇〇円。チクワ、ジャガイモ、一五〇円。一番高いのが大きなエビ一本を丸ごと揚げたので四〇〇円だ。

ハラ一杯食べて飲んでも二千円ぐらいで済むようだ。

揚げ鍋からカウンターまで三、四歩あるので、スニーカーのオニイチャンが揚げたての串かつを手で持って小走りに駆け寄ってくる。

ふつうの串かつは、豚肉と玉ネギを交互に刺してコロモをつけて揚げてあるが、ここの串かつはちゃいまんねん。肉は牛肉で玉ネギなし。肉の大きさは、あの、ホラ、「都こんぶ」というものがありますね。ちょうどあのぐらいの大きさで、昆布二枚分ぐらいの厚さの牛肉を、串に縫うように刺してコロモをつけて揚げてある。

いよいよこれを、店のしきたりに従ってソースの中にザブリと突入させるわけだが、かなり緊張しましたね。

もし、一回のザブリに失敗したらどうしよう。ソースがつけ足りなかったからといって、もう一回つけることは許されないのだ。串かつの、手元のところのここんとこ、ソースがつかなかったからもう一回、というのも許されないのだ。

とにもかくにもザブリと突っこんで少し間を置き、引き揚げ、ソースをよく切ってパクリと一口。

サックリというよりボッテリという感じのコロモだが、そのボッテリがわるくない。コロモに重曹でも入っているのか、フワリとしているが表面はカリッとしていて、アフアフと熱くてウマい。芯の牛肉もウマい。

三本食べて口の中が油まみれになったところへ、四五〇円だが量たっぷしでよく冷えた生ビールをグビーとやる。口の中の油が流れ去ったところへ、こんどはアチアチのナスを手に持ってかじる。うみゃーてかんわでんがな。

ソースは「羽車」というウスターソース系の味だが、弁当箱の中のソースはその味だけではない。客がたびたび突入させた串かつの肉や脂やコロモの味が沈殿していて、鰻屋のタレ的存在となっているのだ。

フタのない弁当箱なので、地震で持って逃げるとき、タップンタップンとこぼれてえらい騒ぎになるんとちゃいまっか。

うな重と生ビールの午後

まあ、聞いてやってください。

人生にはこうしたことがよくあるものなんですね。きょう一日の、あの行動は、あれでよかったのか。

予定どおりにはうまくいかなかったが、かえってそれがよかったような気がする。そういうことってよくありますよね。

話というのはこうなんです。

今回は書くべき事実関係がたくさんあるのでどんどん書いていくことにします。ぼくは毎年、夏、半日人間ドックというのに入ることにしている。

朝八時半に始まって十二時過ぎには終わるのだが、前日の夜の八時から、一切の飲食を禁じられる。

十六時間飲まず食わず男は……

つまり、十六時間、飲まず食わずで過ごすことになる。これはツライ。

しかもことしは、前日の仕事が終わったのが八時半過ぎだったので、もはや何も食べられない。

食べられないと知りつつ、冷蔵庫から朝食の残りの塩ジャケを取り出し、ゴハンを茶わんによそってテーブルの上に並べる。並べてじっと見つめる。

すぐ目の前に塩ジャケとゴハンがあるのに、手にとって食べることができない。

ツライ。とてもツライ。じゃあ、そんなことしなきゃいいの

に と思うでしょう？　そうなんです、しなきゃよかったんですが、せめてひと目、ゴハンと塩ジャケに会いたかった。

翌日。八時半人間ドック開始。十二時十分終了。

さあ、何を食うか？

飲むほうは、これはもう決まっていて、ようく冷えた大ジョッキの生ビール。この連載のずいぶん前にも、半日ドックのことを書いたが、そのときは生ビールにトンカツだった。

今回はウナ丼だ。ウナ丼に生ビール。ドックの間中、ずうっとそれを考えていた。

人間ドックを受けた場所が東京駅の八重洲口の近くだった。ここからデパートの高島屋まで歩いて五分だ。高島屋には鰻の名店「野田岩」がある。「野田岩」にはまだ一度も行ったことがない。そうだ。「野田岩」でウナ重に生ビール。そういうことにしよう。

なんという妙案であろう。しかし待てよ、「野田岩」には生ビールは無いかもしれない。しかたがない。あくまで鰻優先、ビールはビンビールで我慢しよう。

真昼の炎天の中を、「ウナジューニビンビール、ウナジューニビンビール」と呪文のようにとなえながら歩いて行ってようやく高島屋に到着すると、なんと、「野田岩」のある「特別食堂」の前は人山の黒だかりで、じゃなかった黒山の人だかりで、四十分ほどお待ちねがいますという。

海原お浜さんは
奥目がウリでした
ひっこんでてなにがわるい
たしかこんな顔 →

十六時間飲まず食わず男は、ただちにキビスを返して、今度は東京駅八重洲大地下街に向かった。

ここには百軒以上の飲食店がある。

むろん、鰻の店もあるはずだ。

ウナ重も出すが生ビールも出すという店もあるはずだ。

炎天下を、こんどは「ウナジューニナマビール、ウナジューニナマビール」ととなえながら歩いて行って大地下街に到着すると、ありました、ウナジューニナマビールの店が。

「太田窪」という店で「うなぎと天ぷらの店」とあり、「生ビール冷えてます」とある。うな重の竹、二二〇〇円。生ビール、(中)(中しかない)六五〇円。

そうだ、うな重は時間がかかるから、その間の生ビール用に、エート、うん、これ、板ワサ、五〇〇円。

ところがですね、注文して二分とたたないうちに、うな重と板ワサと生ビールがいっぺんにやってきた。

紫の着物に黄色い帯をしめた、かつての漫才の海原お浜さんによく似たオバチャンが持ってきてくれたのだが、うな重には、おしんことして、量たっぷりのツボ漬けと白菜の浅漬けがついている。生ビール用のツマミとしては、板ワサとこれで十分、楽勝という気分だった。

十六時間、飲まず食わずののちの生ビールは、五臓六腑どころか、五十臓六十腑にしみわたった。内臓十人分にしみわたった、ということですね。

それはいいのだが、最初のひと口で、一気に中ジョッキの半分まで飲んでしまい、そのジョッキを三秒ほどテーブルに置いただけですぐふた口めに移り、ふた口で全部飲んでしまった。

そのあと板ワサ（全部で五切れ）とか、ツボ漬けをポリポリ食べ、少し考え、海原のオバチャンに二杯目を注文した。

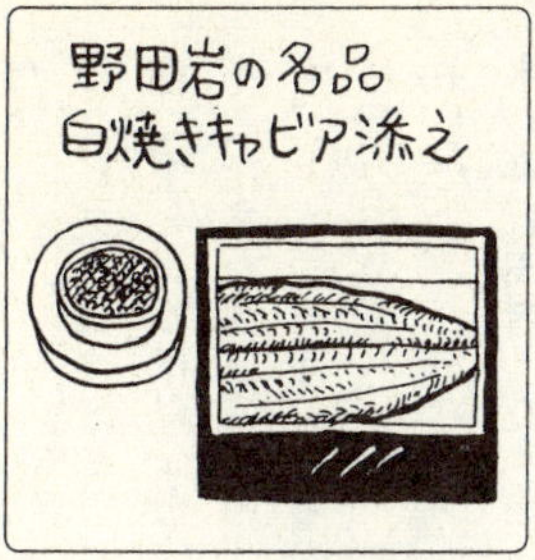

こうなると、楽勝だったはずの生ビール用のツマミが、急に心細くなってきた。板ワサはあと三切れだし、うな重用におしんこも残しておかなければならない。

ふつうならここで、ツマミをもう一品とる、ということを考えるのだが、そのときはなぜか別の方法をとってしまった。板ワサとおしんこを、お醤油でビタビタにしたのだ。

板ワサにはワカメも少しついていたのでこれもビタビタに

した。

ビタビタのワカメと、ビタビタの板ワサ三切れと、ビタビタのツボ漬けと白菜漬けは、一杯の生ビールには十分過ぎた。ビタビタものはビールに合う。

そこでまた海原のオバチャンを呼び寄せ、もう一杯持ってきてもらった。

中ジョッキ三杯ののちのうな重のウマかったこと。

お重の中のゴハン粒、一粒残さず食べました。ジョッキの中のビール、一泡残さず飲みました。

もし「野田岩」だったら、まず生ビールがなかったろうし、板ワサもなかったろうし、ビタビタのワカメにも、海原のオバチャンにも会えなかったにちがいない。

灼熱の鍋焼きうどん

鍋焼きうどんのダイゴミは、鍋のフタを取る瞬間にある。

フッフッ、ジルジル言いながら運ばれてきた鍋焼きうどんは、テーブルの上に置かれても、まだフッフッ、ジルジル言っている。

フタの周りにまであふれて、煮えたぎっている熱そうなツユ。フタの内部に起こっているただならぬざわめき。

このざわめきが鍋焼きうどんの魅力なんですね。

騒ぎながらやってきて、客の前でもまだ騒いでいる食べ物なんて、鍋焼きうどん以外にはありませんよ。

「どれどれ、この騒ぎは一体何の騒ぎだ」

なんて嬉しそうに言いながらフタを取ると、モウモウと立ちのぼる鍋焼きうどん独得

唇はタラコ化したけれど
とても満足したオバサンであった

のいい匂い。

まず鼻腔を駆けのぼってくるのが、熱い蕎麦ツユにほとびたエビ天のコロモの匂い。コロモにしみこんだ天ぷら油の匂い。それらが入り混じった甘めの蕎麦ツユの匂い。

正直言って、たまりまへん。千円の鍋焼きうどんだったら、この最初の匂いだけで三百円ぐらいの価値がある。

蕎麦屋に入って鍋焼きうどんを注文するにはけっこう勇気が要る。
三、四人つれだって行ったときは、鍋焼きだけ遅れてくるから注文しづらく、じゃあ一人のときならいいかというと、鍋焼きは人々の注目を浴びそうでこわい。

日頃、食べたいと思いつつなかなか食べられないのが鍋焼きうどんだ。

だから、思いきって注文して、フタを取って、この鍋焼き独得の匂いが立ちのぼったときは誰だって感激する。

（やっと思いが叶った）という気になる。

フタを取って目を鍋の中に転ずれば、鍋一杯にひろがる満艦飾の具。

カマボコでしょ、しいたけでしょ、麩に卵でしょ、鶏肉にホウレン草に、そして、ああ、鍋焼きうどんの帝王、大きなコロモを身にまとったエビの天ぷら様。

関西系の鍋焼きうどんの中には、ツユが濁るからと称して天ぷらの代わりに焼きあごを入れるのが多いとか伝え聞くが、許さんっ。

鍋焼きうどんのフタを取って、中にエビ天様が見当たらなかったら、わたしゃ即座にその鍋をぶち投げる。

自分も周りの客も、ヤケドを負うかもしらんが、わしゃしらんっ。

まずレンゲを取りあげてツユを一口。鍋焼きうどんのツユは、時々刻々と味が変化していく。様々な具からにじみ出る旨味が、ツユの味を刻々と濃くしていく。

一方、鍋焼きうどんのツユは、時々刻々と少なくなっていく。

自分ではそんなに吸ったつもりはないのに、ふと気がつくと、夏の渇水期のダムのようにツユが減っている。

まずうどんがツユを吸い、天ぷらのコロモが吸い、吸いこみ界の巨匠麩が大量に吸う。

だから、気がつくたびにツユを吸っておくようにしたい。

一ロツユを吸ったら次はうどん。

鍋焼きのうどんは、それほど上等のうどんでなく、あまりコシのない柔らかめのうどんのほうがツユをよく吸ってかえっておいしい。

箸で一本つまみあげたとき、少しのびて細くなるぐらいのがいい。

ツユ、うどんとすすったあとは、無難なカマボコあたりをかじっておく。
カマボコかじって、ツユをようく吸いこんだ麩をビョロビョロと吸いこんで、もう一回うどんをすすったあたりで、箸で帝王様をちょんちょんと突つく。そろそろですよ、という意味をこめて挨拶しておくわけですね。
そうすると帝王様は、待っていたようにコロモを少しくずしてあたり一帯をたぬきうどん化してくださる。

そのあたり一帯をレンゲですくってすすると、トロトロと浮遊するコロモがツユといっしょにズルズルと唇をこすって通過していく。この感触が、こたえられまへん。

いつ卵を攻めるか。これまた心ときめく課題だ。

鍋焼きうどんの卵は、たとえば立ち食いの天ぷら蕎麦に落とした卵とはまるでちがう。熱いツユの中に落とした落とし卵ともちがう。温泉卵ともちがうし半熟卵ともちがう。

鍋焼きうどんのツユの中で煮られた〝鍋焼きうどん卵〟とでもいうべきものなのだ。

ホッテリとぶあつい白身のサヤに包まれて、破れればドロリと流れ出る熱くて黄色い黄身。ドロリと流れ出る瞬間を、すばやく拾いあげて口に入れれば、鍋焼きうどんのツユのようくしみこんだホッテリの白身の旨いこと。ドロリの黄身のうまいこと。そして熱いこと。

ホハヘ、ラヘハヘンヘ。

コタエ、ラレマセンネ。

こうしたツユ物のうどんのおいしさは、熱い丼を手に持って、じかに口をつけてツユを飲むところにある。

鍋焼きうどんのツユも、ぜひ一度そういうふうにして飲んでみたいと思っているのだがまだ果たしていない。

そのあとの治療費の問題とかを考えると、なかなか踏みきれないでいる。

じかに口をつけずとも、ふつうに食べても唇は多少タラコ化するのが鍋焼きうどんだ。

食通の人の話によると、フグは食べ終わったとき、口の周りが少ししびれてビリビリするぐらいがいいそうだ。

鍋焼きうどんも、食べ終わったとき、ヤケドで唇がヒリヒリする。

このヒリヒリがいい。

ヒリヒリする唇で家に帰り、冷蔵庫からアイスクリームを出して、唇を冷やしながら食べる。

これが鍋焼きうどんのダイゴミだ。

解説

荒川洋治

東海林さだおさんの文章は楽しい。いま日本一楽しい文章のひとつだと思う。

この『スイカの丸かじり』は、「スイカのフランス料理」という、奇妙な、しかし実際に存在した料理の話からはじまる。そこではスイカも焼かれてしまうのだ。「スイカ史上初めて」スイカが焼かれたのである。これはたしかにたいへんなことだが、スイカが焼かれたり揚げられたりするようすをスイカの内面までつけあわせて語るのだ。東海林さんの言葉の料理は楽しい。ところでぼくはスイカをつくる農家に育った。スイカは子供のときからたっぷりあった。スイカを食べるときぼくはスイカを切ったことがない。ただ「ボン」と下に落として割り、そのなかの赤い、とても「おいしいところ」だけをスプーンですくって食べる。あとはポイと捨てる。罪深いことである。東京へ出てきて、みんながスイカの皮のぎりぎりのところまで食べているようすを見て、ぼくはおどろいた。文化のちがいというのだろうか。

東京へ出てきたぼくがよく食べたのは、ハムエッグ定食と、中華丼だ。中華丼はいまもどこにでもあるのに、あまり人気のない料理のひとつだが、やはりというか当然というのか、「おもしろみ」のないものや、弱いものの味方である東海林さんは中華丼の再評価に立ちあがる。「ガンバレ中華丼」である。中華丼にはレンゲなるものがついていて、それで、よいしょよいしょと食べていくのだが、著者もいうようにレンゲでは「最後の一口分のゴハンがなかなかすくいあげられない」。するんするんとなって、捕獲できない。あれはやっていてほんとうにはずかしい。見ている人のいないところで、ひとりで食べるのが中華丼なのかも。それにしても、「最後の一口分」が困難であるとはっきり書かれてしまうと、ぼくは今度食べるときにいよいよあせって、余計にはずかしいことになるかもしれない。楽しい文章はこのようにあとを引く。またこういうふうに、いつか思い出すだろうなあ、こまるなあと思わせるような文章はなかなか書けるものではない。

次の「海苔」の一膳も傑作である。海苔の佃煮は、ビン、それも口の小さなビンに入っている。そこに箸をつっこんで「うん、とれた」といいながら食べるところに海苔の佃煮の醍醐味がある。「海苔の佃煮は、ビンの間口の小ささにおいしさがある」とは、至言である。

「その人の流儀 そのⅡ」の「つけ合わせのパセリを食べる人」という文章もおもしろい。何人か集まると、皿に残ったパセリを食べる人がいる。そこまでの観察は誰にでもできるが、その人は、「必ず食べて必ず言い訳をする」とは、すってんころりと転びたいほど、みごとな観察である。その言い訳にはいつも「体にいい」という言葉が入ること、そして「体にいいわよ」と人にすすめるなど、観察はさらにこまかい。いたれりつくせりである。人間は食べるとき、どこかはずかしいもので、てれかくしのつもりか、意外と言葉を残すものである。食べた分だけ言葉を出すのだ。言葉なくしては食べられないもののようである。当然のことに、東海林さんの耳は言葉をみのがさないのである。

「パック寿司」の文章も楽しい。スーパーの地下などで「パック寿司」を見かけるようになった。一個五十円など、どのネタも同じ値段だ。ところが人間は「ついふだんのクセが出て、イカにマグロにタコに、なんて取りあげていって、次にウニを取りあげようとして、つい、手がひっこんだりする」。

お客さんが来たときに、この「パック寿司」を出す家もある。その場面の「描写」もまたふるっている。

〈客は、一個食べては「これで五十円」、二個食べては「これで百円」「あと四個食べると合計三百円」と、頭の中から値段のことが離れない。合計三百円食べたところで少し考え、

「あと二百円いくか」

なんて考えたりする。

寿司を出したほうも、客が帰ったあとで、

「あの客は六百五十円食べていった」

と、金額がはっきり頭に残る。〉

まさかそんなことはないよと思いながら、これを読むと、この世の中はこうした光景にみちみちていると思ってしまう。しかしそれにしてもこの文章は、いったいなんだろう。ただ観察がこまかいだけなのかというと、どうもそれだけではないように思う。

「合計三百円食べたところで少し考え」とあるが、この「少し考え」というくだりで、ぼくはもう笑いが爆発してしまうのだ。これはほんとうにほんとうにしっかりと、その描写（想像）の対象となる人の心のなかに入っていって筆を動かすときにしか生まれない性質の文章であると考えられる。そしてちなみに、この文章の前後を読むと、著者がこういうふうに「パック寿司」を自宅等の領域でふるまったことがあるのか、それともそれはなくて、想像したことなのかが、いっさい示されていないことに気づく。

「『このセロハンパック寿司』は客に出してもいいものなのかどうか」とはじまり、「その場合、セロハンを全部はがして出すべきなのか、それとも包装したまま出すべきなのか」という客観的問題設定はあるものの、そこからいきなり、先ほど引用した「会話」がはじまるのである。

つまり著者はこの文章のどこにも、自分の体験を書いていないのだ。「私小説」ではないのである。どこか中空の、ある視点から、ものごとにまつわるものいっさいがっさいをあらいざらい指し示していくのである。創作でもない。記録でもない。その折衷でもない。どちらでもないもの、なにでもないもの、普通とはなんかちがうものをよりどころに文章は動いていき、流れていき、読者にささやきかける。すべての文章がそうだというわけではないが、東海林さんの文章は原則として、どこから生まれたかはしらないままに、とても正確でリアルなものを伝えるのである。ときおり箸をとめて、ぼくはそこを静かに見つめることになる。

と、別にむずかしく考えることもないのだが、ぼくらが東海林さんのエッセイにとてもよく笑えるのは、心がからっぽになるほど晴れやかに笑えるのは、彼の文章がこちらが思うものとは別のところに浮かんでいるからだと思われる。その別のところを彼はいつのまにか、つくったのだ。それはいうまでもなく天性のものだけれども、人の天性ほど魅力に思えるものはないのである。この食べ物はおいしいわね、どういうふうにつくるの、という会話があるならば、こういう文章はどうして生まれるのと考えてみるのも楽しい。その楽しみのつきないところに東海林さんのこのシリーズのおいしさがある。

（現代詩作家）

〈初出誌〉「週刊朝日」一九九五年一月六・十三日号〜九月二十二日号
（「あれも食いたいこれも食いたい」）
〈単行本〉一九九六年九月　朝日新聞社刊

文春文庫

スイカの丸《まる》かじり

定価はカバーに
表示してあります

2001年5月10日　第1刷

著　者　東海林《しょうじ》さだお
発行者　白川浩司
発行所　株式会社　文藝春秋
東京都千代田区紀尾井町3-23　〒102-8008
TEL　03・3265・1211
文藝春秋ホームページ　http://www.bunshun.co.jp
文春ウェブ文庫　http://www.bunshunplaza.com

印刷・凸版印刷　製本・加藤製本
Printed in Japan
ISBN4-16-717747-1

文春文庫

東海林さだおの本

（　）内は解説者

ショージ君のにっぽん拝見
東海林さだお
マンション・バスに乗ってみたり、阿波踊りに挑戦したり、競輪学校に入学してみたり、プロ野球に八つ当りしたりして、日本中を笑いの種にしてしまう愉快な珍道中。（野坂昭如）
し-6-1

ショージ君のぐうたら旅行
東海林さだお
日本最北端の岬でハナミズをたらし、信濃路ではタヌキ汁に舌つづみを打ち、小笠原島で昼寝するなど、気ままな旅を楽しんで、哀愁とロマンの香り高い紀行。（畑正憲）
し-6-2

ショージ君のゴキゲン日記
東海林さだお
ヨーロッパ旅行で一人隊列から離れ、集団見合いを見て嘆息し、悲しき玩具、セックス・ショップでは遂にポルノ人形を買ってしまうというゴキゲンな探訪記。（青木雨彦）
し-6-3

ショージ君の面白半分
東海林さだお
せり出したオナカを気にしながら、全国を駆け歩く。Gパン専門店、国技館、後楽園球場、ニューヨーク。どうにもならぬ中年男のいらだちが味を添える爆笑ルポ。（神吉拓郎）
し-6-4

ショージ君の青春記
東海林さだお
青春を語るには恋を語らねばならぬ。漫画家を志望しつつ女にモテたいために早大露文科へ。挫折の連続の漫研生活、中退しての売り込み暮らし。人気漫画家誕生までの青春放浪記。
し-6-5

ショージ君のほっと一息
東海林さだお
若い女性の嫌うものはハゲ、デバラ、モモヒキ。目下の悩みはデバラのみ。モテたい一心でカロリー計算に憂身をやつすが効果さっぱり。ヤケで呑みほすビールの味はまた格別ですな。
し-6-6

文春文庫

東海林さだおの本

東海林さだお
ショージ君の「さあ！なにを食おうかな」

イモ・スイトン・フスマ団子そだちの我らがショージ君が、飢餓世代〝噛みまくり派〟を代表し、高層レストランから青山墓地の屋台食堂まで食いまくる、涙ぐましき食味エッセイ。

し-6-7

東海林さだお
ショージ君の東奔西走

草野球で八番セカンドの分際で大リーガーの技術を学ぶべく渡米し、立食いソバでウメーと叫んでいる身で高級中国料理を賞味するため香港へ。チグハグな行動力で東へ西へ多忙な毎日。

し-6-8

東海林さだお
ショージ君の一日入門

幼い頃から一度は〝なってみたい〟と憧れていたファッションモデル、私立探偵、バレエダンサーたちの学校に無試験無面接でイソーロー入学。日陰の身の淋しさを乗り越えて健闘する。

し-6-9

東海林さだお
ショージ君の満腹カタログ

ナワのれんで上役、下役、ご同役のドラマをじっと観察し、街を流す焼芋屋さんの人生哲学を傾聴し、アベックを見るとコーフンし、電車を乗り継いでは埼玉までウナギを食べに行く。

し-6-10

東海林さだお
ショージ君のコラムで一杯

「私の文章修業」「いちどだけモテた話」などから女の話、キワどい話まで、独自の文体を切り拓き、その第一人者として君臨するショージ君が二十余年間に書いた七十一の傑作コラム。

し-6-17

東海林さだお
ショージ君の男の分別学

ラーメンの食べ方、鍋物のつつき方、オンナのおシリの鑑賞法、のぞき部屋の入り方等々、世の中のどうでもよさそうな事柄についても、それぞれにしっかりとした美学がある。

し-6-18

文春文庫

東海林さだおの本

（　）内は解説者

ショージ君の南国たまご騒動
東海林さだお

今回はフィジー、沖縄と、憧れの南の島へ行ってきました。ヤシの木の間にハンモックを吊り、波の音を聞きながらビールをグビグビ、生卵をウグウグ、何やら力がわいてきて。

し-6-19

ショージ君の時代は胃袋だ
東海林さだお

財界のドン、球界のドンなどという言い方がある。ではドンブリ界のドンは何か。うな丼かカツ丼か天丼か。はたまた親子丼か。空前の胃袋時代をどう生き抜くかを示唆する〝笑撃の書〟。

し-6-20

東京ブチブチ日記
東海林さだお

ショージ君はいくつもの顔をもつ。するどい定食評論家、と思えば新聞の三行広告に隠されたナゾを解き、はとバスに乗れば大興奮。これぞサンダル履きの大東京遊覧。（金井美恵子）

し-6-21

ショージ君の「ナンデカ?」の発想
東海林さだお

カップラーメンの正しい食べ方、飛行機で〝乗り馴れてるもんね〟ポーズをとる秘訣、駅の古新聞は拾うべきか否か、これら三十一の珍問に答える社会人のための新しい常識とマナー集。

し-6-22

平成元年のオードブル
東海林さだお

いらっしゃいませ。どこから読んでもおいしい「読むオードブル」が十八皿。ルポ風笑い茸パイ皮包みコラムソースなど旬の味を取り揃え、ご来店をお待ちしています。（湯村輝彦&タラ）

し-6-23

笑いのモツ煮こみ
東海林さだお

あの、モツ鍋ではありません。笑いの闇鍋モツ煮こみなんです。モツの中身は秘密です。ピリッと辛い薬味は充分にふりかけてありますから、これ以上はかけないで下さいね。

し-6-24

文春文庫

東海林さだおの本

（　）内は解説者

タコの丸かじり
東海林さだお

メンチカツとハムカツはどちらが偉いか、おにぎりはナナメ食いに限る、究極のネコ缶を試食する、回転寿司は恐くない、激辛カレーに挑戦……抱腹絶倒の食べ物エッセイ。（沢野ひとし）

し－6－25

キャベツの丸かじり
東海林さだお

タンメンはなぜ衰退したか、駅弁の正しい食べ方とは、昆布は日本料理の黒幕だ、サバ好きは肩身がせまい、カップ麺の言い訳……身近な食べ物を何でもかんでも丸かじり。（阿川佐和子）

し－6－26

トンカツの丸かじり
東海林さだお

初体験の「ちゃんこ鍋」、宅配ピザを征服する、味つけ海苔の陰謀をあばく、ビン詰めはかわいい、大絶讃〝イモのツル〟、夏野菜を叱る……食べ物はこんなに奥が深いのです。（ナンシー関）

し－6－28

ワニの丸かじり
東海林さだお

初体験関西うどん、築地魚河岸のわがままな客たち、青春のレバニラいため、アイスキャンディーに人生を学ぶ、ワニの唐揚げに挑戦……食べ物への愛は深まるばかり。（江川紹子）

し－6－33

ナマズの丸かじり
東海林さだお

ホットドッグの正しい食べ方、いとしい豚肉生姜焼き、懐かしの魚肉ソーセージ、コンニャクの不気味、バッテラ大好き……今回はナマズのフルコースにも挑戦してみました。（高島俊男）

し－6－34

タクアンの丸かじり
東海林さだお

梅干し一ケで丼一杯のゴハンを食べてみる、サンドイッチに苦言を呈す、肉マンにわが人生を思う、目玉焼の正しい食べ方は？　マナイタの悲劇、タクアン漬けに挑戦。（清水ちなみ）

し－6－36

文春文庫

東海林さだおの本

（　）内は解説者

鯛ヤキの丸かじり
東海林さだお

桜桃応答す、懐かしのアメ玉、都庁近辺昼めし戦争、偉業としてのラーメンライス……ますます快調、「丸かじり」シリーズ第七弾！　食べ物の世界は奥が深いのです。（野村進）

し-6-37

伊勢エビの丸かじり
東海林さだお

究極のラーメンの具は何か、お子様ランチ初体験、くさやは孤独な食べ物だ、夏はとろろ、バンコクでタイ料理三昧……ショージ流ユーモア・スパイスが利いた絶品の八冊目。（芦原すなお）

し-6-39

駅弁の丸かじり
東海林さだお

素直じゃない高級ホテルのかつ丼、引き際がむずかしい回転しゃぶしゃぶ、自宅で駅弁をおいしく食べるコツ、ぼかした注文に潜む夢……ショージ・スタイルの奥義を披露！（近田春夫）

し-6-41

ブタの丸かじり
東海林さだお

おせちに潜む派閥問題、風呂場のグルメ本鑑賞、国辱映画の日本食シーン拝見……。ショージ君の飽くなき探求は続き、遂には豚の顔丸一枚を食べてしまいました。（みうらじゅん）

し-6-45

タンマ君
①純情篇②歓喜篇

東海林さだお

タンマ君はしがないサラリーマン。仕事で失敗しては上司に怒られ、可愛い子にモテたと思えば哀れカンチガイ。㋪族に圧倒的支持と共感を得ている週刊文春連載人気漫画の自選傑作集。

し-6-15

タンマ君
③激辛篇④純愛篇⑤妄烈篇⑥清貧篇

東海林さだお

週刊文春連載人気漫画の八五年から十年分を四冊に収録。バブルから清貧へ時代は激変しようとも、泰然自若のタンマ流ダンディズム(?)には脱帽。これぞサラリーマンのバイブル！

し-6-29

たのしい話いい話 1
文藝春秋編

岡部冬彦、常盤新平、山川静夫、石川喬司、矢野誠一ら粋人十人が披露する、古今東西有名無名、様々な人々の佳話逸話。「オール讀物」の人気コラム「ちょっといい話」文庫化第一弾。

編-2-15

たのしい話いい話 2
文藝春秋編

吉行淳之介のラーメン談義、チャーチル一世一代のウソ、芥川比呂志の小咄、マッケンローの潔癖性など、各界の著名人の愉快なエピソードを満載。「ちょっといい話」文庫化第二弾。

編-2-16

無名時代の私
文藝春秋編

誰だって、初めから脚光を浴びていたわけではない。夢を追いつつ満たされない日々、何をやろうか模索していた時……有名人69人が自らの苦しく、懐しい助走時代を綴った好エッセイ集!

編-2-17

心に残る人びと
文藝春秋編

誰でも、貴重な出会いのシーンや忘れられないあの人の思い出が、ひとつぐらいは胸に浮かぶもの……。遠藤周作、佐藤愛子、岸田今日子、辻邦生ら著名人75人が語る出会いのエッセイ集。

編-2-21

オヤジとおふくろ
文藝春秋編

各界著名人がオヤジ、おふくろの思い出を綴る「文藝春秋」の長寿連載から、百篇を厳選。荒木経惟、久世光彦、中島らも、美輪明宏、群ようこ、森毅、渡辺えり子……を育てた人はこんな人!

編-2-28

あの人この人いい話
文藝春秋編

通りすがりの少女の厚意から著名人の意外な素顔まで。魅力溢れる人々を山川静夫、矢野誠一、水口義朗、山根一眞がするどい観察眼で描き出す「ちょっといい話」文庫化第三弾。

編-2-29

日本エッセイスト・クラブ編
明治のベースボール
'92年版ベスト・エッセイ集

「手ぬき世代の味覚」、「頭のよすぎる馬」など、身近な心あたたまる話から、環境、高齢化社会の問題までを軽妙なエッセイに託し、全国の有名無名の人々が綴った名品六十篇を収録。

編-11-10

日本エッセイスト・クラブ編
中くらいの妻
'93年版ベスト・エッセイ集

懐かしい昔の味が甦る「支那そば」、本棚に隠した金を探してくれ——「父の遺書」に秘められていた謎をどう解いたか等々、人生の織りなす哀歓を描きつくした珠玉のエッセイ六十二篇。

編-11-11

日本エッセイスト・クラブ編
母の写真
'94年版ベスト・エッセイ集

年間ベスト・エッセイのシリーズ化、十二冊目。書かれるテーマは毎年、似ているようで、確実にそれぞれの時代を反映している。時の移ろいと変わらぬ人の心を見事に捉えた六十一篇。

編-11-12

日本エッセイスト・クラブ編
お父っつあんの冒険
'95年版ベスト・エッセイ集

宇野千代さん晩年のエッセイ「私と麻雀」、漱石の名作を枕に〝論証〟を試みた「『こころ』の先生は何歳で自殺したのか」など、選び抜かれた六十四篇のエッセイ名鑑'95年版。

編-11-13

日本エッセイスト・クラブ編
父と母の昔話
'96年版ベスト・エッセイ集

明治・大正の人々を絶妙に描く森繁久彌の表題作ほか、司馬遼太郎「本の話」、田辺聖子「ひやしもち」、林真理子「理系男と文系男」など世相を映し著者と読者を共感でつなぐエッセイ65篇。

編-11-14

日本エッセイスト・クラブ編
司馬サンの大阪弁
'97年版ベスト・エッセイ集

大作家が相次いで亡くなった96年。田辺聖子「司馬サンの大阪弁」瀬戸内寂聴「孤離庵のこと」の他、「娘の就職戦争」「ボランティア棋士奮戦記」など、激動の世相を映す六十一篇を収録。

編-11-15

（　）内は解説者

たのしい・わるくち
酒井順子

悪口って何でこんなに楽しいの？　自慢しい・カマトト・慇懃無礼……あなたの周りの女性たちの化けの皮を剝ぐ、人気コラムニストのイジワルな視線と超一級の悪口の数々。（長嶋一茂）

さ-29-1

幸せな朝寝坊
岸本葉子

不動産屋にイビラれ、老後のことも気になり出した一人暮らしの三十代。大変なことも多々あるけれど、やっぱり機嫌良く暮したい。日常の喜怒哀楽を率直に綴ったエッセイ集。（白石公子）

き-18-1

30前後、やや美人
岸本葉子

若さあふれる20代とはちがうけど、今の自分も嫌いじゃない。「マンションを買う」「コインロッカーおばさん」「自分の声は好きですか？」など共感エッセイ85篇。（平野恵理子）

き-18-2

テレビ消灯時間
ナンシー関

消しゴム版画の超絶技巧とピリリと辛い文章で、うのが、なお美が、鶴太郎が、ヒロミ・ゴォウが情け容赦なく切り刻まれる。〝テレビ批評〟の新たな地平を拓いたコラム集。（関川夏央）

な-36-2

わたしってブスだったの？
大石静

失恋はいい女の条件だ！　別れた男女は遠い親戚？　「あなた好みになりたい」は不健康。不倫のｓｅｘはなぜいいのか？　人気脚本家による大胆素敵な体験的恋愛論。（残間里江子）

お-21-1

男こそ顔だ！
大石静

幼稚園から名門女子大の付属に通った〝良家の子女〟はいかにして人気シナリオ・ライターになったか？　大人の恋愛論からＴＶ界の内緒話まで、話題満載の痛快エッセイ集。（麻生圭子）

お-21-2